U0488883

鄧小平手迹选

中央档案馆　编

三

书信　文电

Collection of Deng Xiaoping's Original Handwriting

中国档案出版社

大象出版社

书名题字：江泽民

出版说明

为了纪念邓小平同志诞辰一百周年,我们编辑出版了这部《邓小平手迹选》。

半个多世纪以来,邓小平同志起草了大量文件、电报、文稿,亲自批阅了无数的公文,写下了许多书信、题词。我们从浩瀚的档案资料中,精选出邓小平同志从一九二六年至一九九二年间的珍贵手迹296件,汇编成这部选集。多数手迹系首次公开发表。

本书按题词、题字、书信、文电、批示、提纲分类,各类手迹按书写时间顺序编排。为便于读者阅读,所选邓小平手迹均附有释文。原文中的错字,释文订正用〔 〕标明,漏字增补用〈 〉标明,衍字用[ ]标明,个别地方作了必要的注释。有些手迹没有注明年代,经过考证,在目录和释文中标明;有些手迹有年无月的,放在该年后面;有的手迹有月无日的,放在该月后面;时间不详的,放在该类后面;有的按内容放在相近的时期里。

中央档案馆

二〇〇四年一月

目录

书信

文电

释文

书 信

(1) 帝国主义的手段在操纵着封建，也同时在操纵着军阀。我们的斗争也是一推翻帝国主义范。我们绝不会放弃马列主义之范，而一个多月以来他们却背弃马列主义放弃之范的非常事。这一时期双方斗争带有上都是试探的性质，一直到英美提出封锁的条约。封锁，虽然看起来，虽增加我们不少困难，但对我们仍属有利；因为印度不封锁，我们许多困难也是不能解决的。（但封锁本身），我们过去想不到的。打破封锁之道，毛主席强调从军事上迅速解放西藏，要四川康青宁调兵。给美帝以目标从海南岛及台湾。同时我们提出的：国外的政策的一面倒，是主要的，打开局面对我们有利。（毛主席说：这才是主动的倒，免得将来被动的倒）。内部政策强调要认真的从自力更生方针，不但叫，而且认真去做。（毛主席说更重要的是在建设新民主主义建设着眼点提出这个问题）。毛主席说这样做很好，以中央指示一段检。我们这样做〔即结合一面倒和自力更生〕不但可以立于坚固的基础之上，而且可继续使马列主义发扬之范。

中國人民解放軍第二野戰軍司令部用箋

修和兄鉴：承托物色兵工技术人材事，派了蔡树藩、苏波陈志坚同志来沪办理此事，请与接洽，关于安家费用等项，亦请商同处理。费神之处，容后面谢。顺此谨致

敬礼！

弟 邓小平 上

八月十五日

于南京

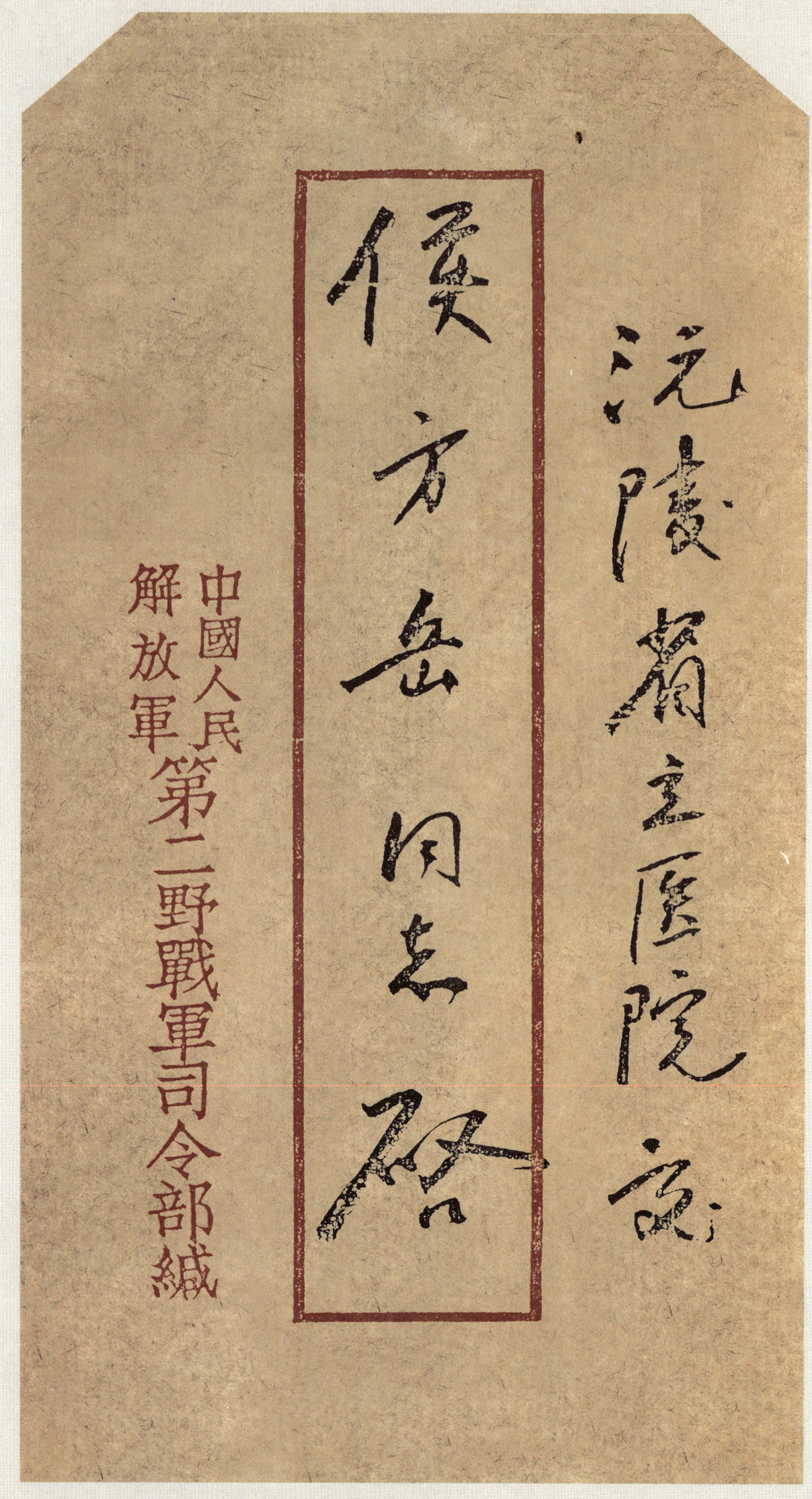

沅陵省立医院寄

侯方岳同志启

中國人民解放軍第二野戰軍司令部緘

中国人民解放军第二野战军司令部

方毅同志：廿七日来信悉。你此次川东受伤，此间同志均甚关怀，望好好休养。如涪陵医治不便，可商同当地负责同志设法转去长沙治疗，并特此函请湖南省委予你以帮助。你的工作问题，我因西南，或留西南局，或到川省某区，调该于伤愈后到西南局再议决定。如到湘黔边路线，川湘边路线土匪很多，少数人川

中國人民解放軍第二野戰軍司令部

老槐園戏，为你雏生一孔窑内疗念，并随后勤司令部刘政委[illegible]明德同志（到安常德）同来，如须经过洪療，则须通过四汉口办事处而后经宜昌巴东到重庆（我经川北，或船运）。你如有困难，可至常德二野后勤前[illegible]部找李[illegible]解决。我们已通知他们注意。我们的後日即继续西进，一切候见面时详

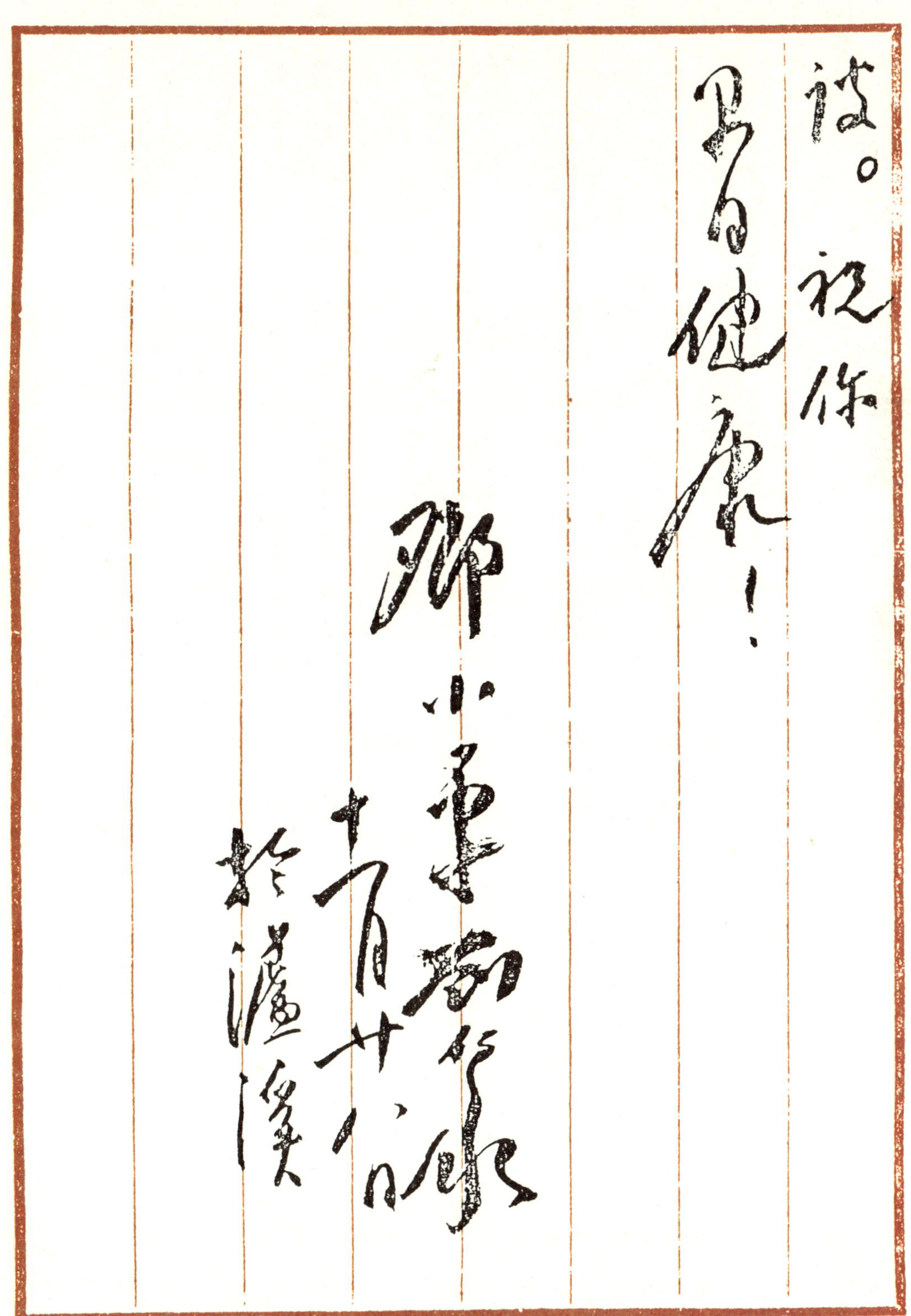

中國人民解放軍第二野戰軍司令部

談。祝你
身體健康！

鄧小平 卓琳
十月廿八日
於瀘溪

中国共产党中央西南局便笺

伯承：

调整工商业问题，重庆已略有眉目，望你注意力转向农村，重庆城市，我拟抓紧，问题。川南问题已开展有所，应作专门研究，希好好地解决此类的问题。

邓

六二日

尚昆同志：

中央所颁人民法庭组织通则，眉目十分清楚，司法部所拟条例，除个别具体问题外，并没有其他新的问题，故无另拟一条例之必要。

过去川西行署曾有一条例，我们也已告他们不发，个别具体问题，改用暂予之规定。

下面深感文件太多的痛苦，我们应加注意。

邓

十一、三。

陈赓同志转 王老：

对云南复电稿已写述、请你们再加研究一下，我同意，请速胡志明同志将云南来电及复电复写数份送刘副主席、民政部，另发对外民族事务委员研究，并提书记处六例会讨论通过。

邓

五月十四日

张易、胡光同志：

催於多次催促，为每个会议都出专刊，往往流於形式主义，实际上看的人很少，花费很多人力，而且现在各项事业会议很多，专刊很多，下面同志感到头痛、所以我不主张为政治会议出专刊。请你们肯为政治部一言。

我的报告因无时间改，请退回政治部存档即可，目前不必发表。

敬礼！

邓小平 十一、廿五

邓副主席指示，抄送新华日报、郭部。邓拓

先退回宣传部存档。

尚昆同志：

（一）请以我们名义复张副主席，

报告一下：成渝七一可正式全线通车，天成线下

半年开始兴筑，川黔线川段可望动[illegible]

……近日天雨，春耕已过，小春收成相当好于去年。

但此间生产[illegible]已，已封存问题研究解决，

最后决议[illegible]进展。

以好得[illegible]已了[illegible]农林利时

多多费复。

张主任：

（一）请照批写一张信，我送你印发

（二）请批复

小平

四月十日

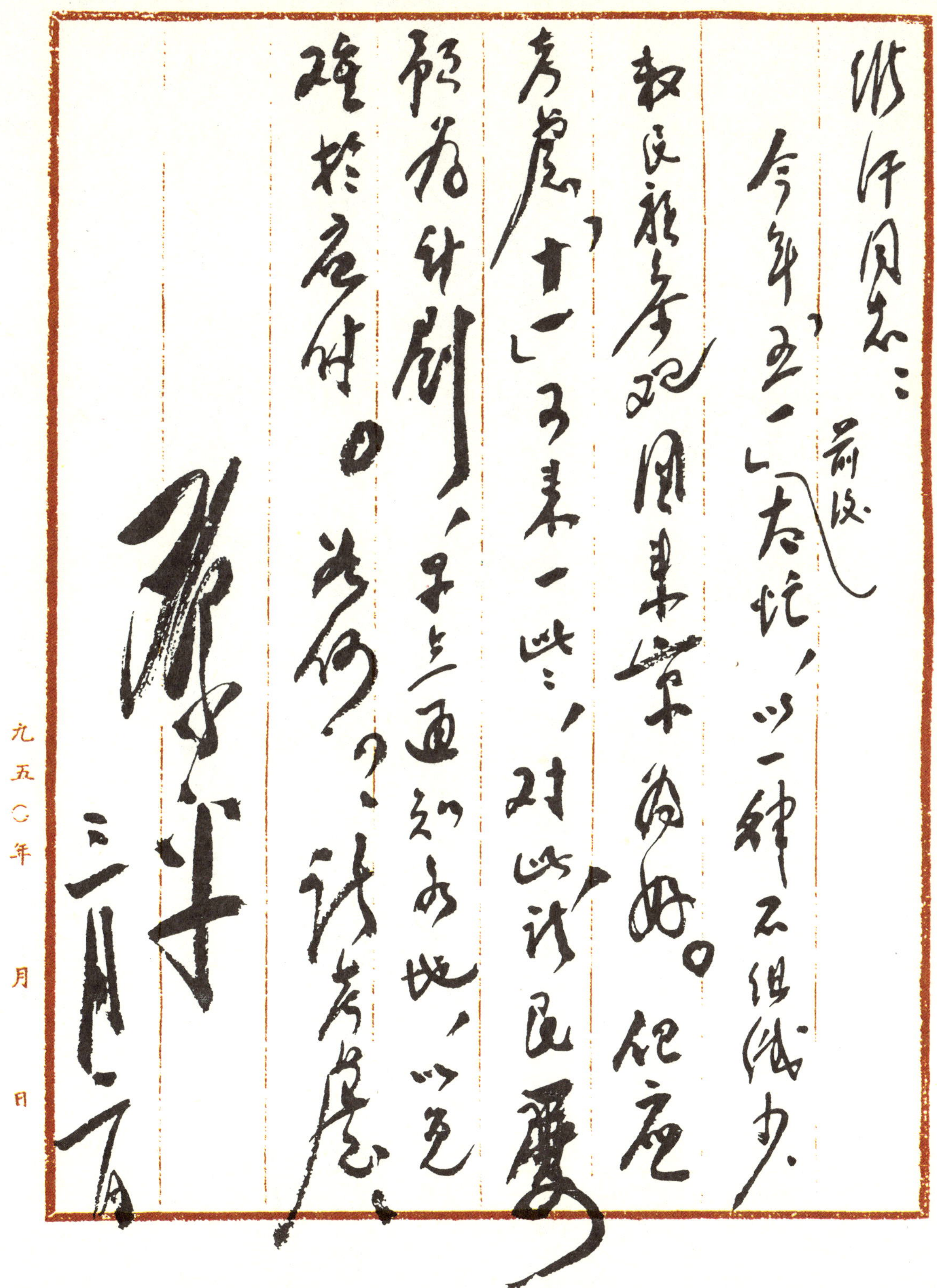

中央人民政府政務院用箋

冰升同志：

今年五一前后太忙，以一律不组织少数民族参观团来京为好。但应考虑"十一"可来一些，对此请民委预为计划，早点通知各地，以免临时应付。

如何？请考虑。

邓小平

三月二日

九五〇年 月 日

存档 李 六.廿

主席、刘、周、陈、彭、习阅。阅后退李维汉同志。

[illegible]将军会同志来京，对解决西藏问题是有好处的，此点请主席批示，由维汉同志办理。

邓小平 六月十四日

同意。毛泽东 六月廿日

退李维汉

主席阅

刘、朱、陈、高：

这是交通部的一套文件，是在七月底中央会议上原则批准的。此后，全国交通会议作了报告和讨论，各件也作了一些小的修改。我都看了一遍，各项文件都没有原则上的改动，所改的都比原来的好，故可予以批准。为大家节时间，只看前面的说明即可，如有余时间(一)(三)(四)(五)的件不看也可以。

但(一)中共中央关于批转中央人民政府交通部党组五个文件的指示(二)政务院关于加强地方交通工作的指示两件，则须请详加审阅批示。

这些文件下面依手续速审批下达。我办理所有文件，都照中央讨论时无原则上的改动的，不须送主席审批（本子），此点请少奇同志酌定

邓小平 十一月十一日

送杨尚昆

退小平办

乃光同志：暂存你处，并照办。附件
志远同志、经过批阅的作品，准备请章[illegible]
选几个材料送你。
准备在明年一月下半月间
好，在报上连载一些[illegible]
选集的典型材料，同为全国
多数的在明年二三月进行[illegible]
展览选集。通过展览选择材料
作用不大。
为了准备明年二三月到现在的需要，选
还应多收集一些选择的材料。

邓小平 十一月廿八

平杰三、宁[illegible]……先同[illegible]约定时间，约[illegible]俩、徐冰、汪锋、[illegible]一谈

维汉同志：

（一）台湾工作的谈话也好。可以去修送上。

（二）黄任老间的一个稿子送上，对民主党内部问题的谈话部分。

（三）赵范同志的电话记录都已解决，文件一併送上。

以上这些事都可不急，其待身体好后再作。

邓小平

二月廿二日

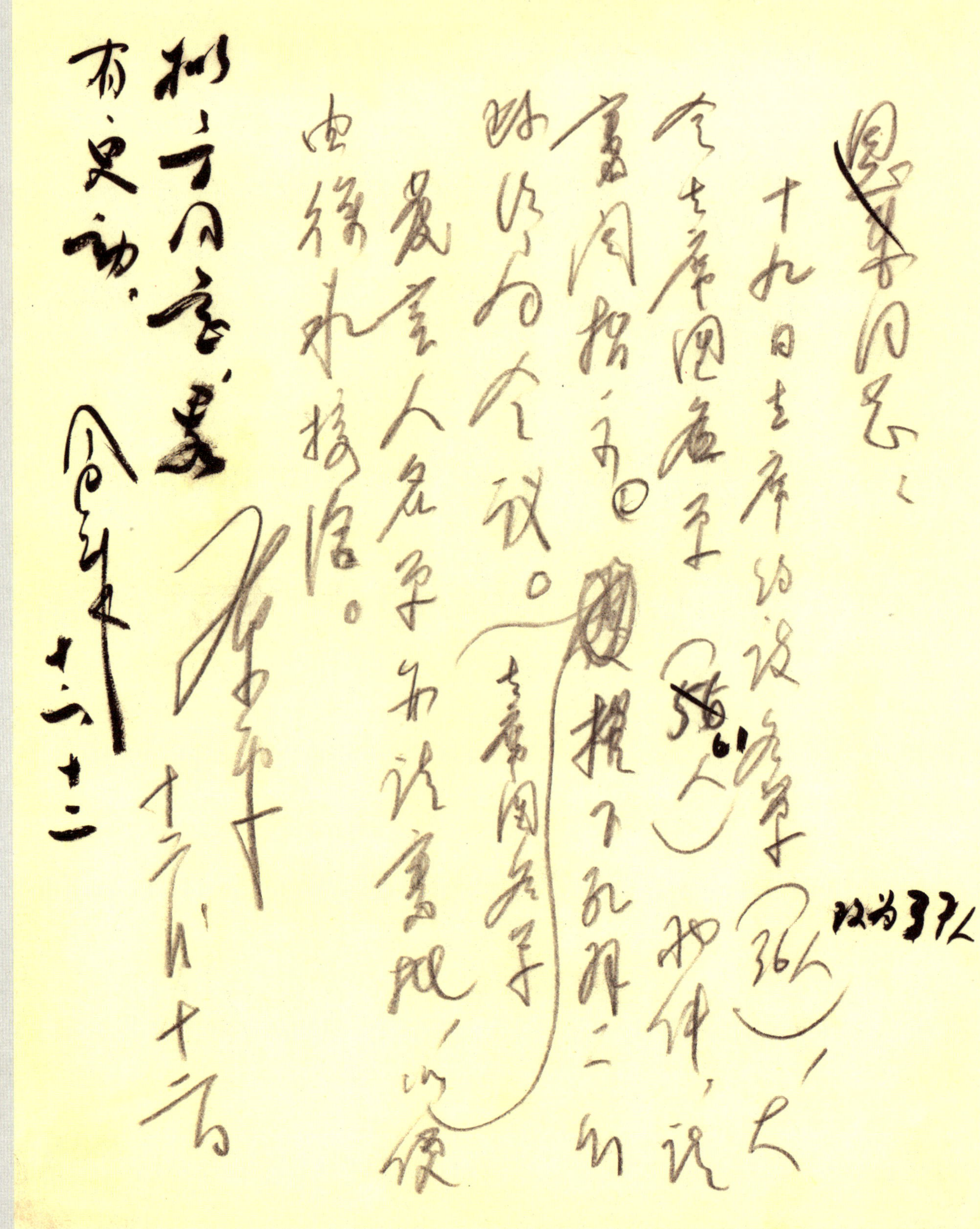

恩来同志：

十九日主席约谈名单（36人，改为37人），大会主席团名单（~~56~~61人）抄件，请审阅指示。拟提下礼拜二的预备会议。主席团名单、发言人名单另请审阅，以便准备和接洽。

邓小平

十六日十二时

拟同意，有些更动。

周恩来

十六、十二

尚昆同志：

文件退回。

（一）发稿表请按照少奇同志意见改，并按照日报的格式改过。

（二）刘主席名字前请去掉同志，看后按照日报的写法改过。

（三）代表名单及候补名单予以印发，照日报的写法予以改正。

邓

三、十

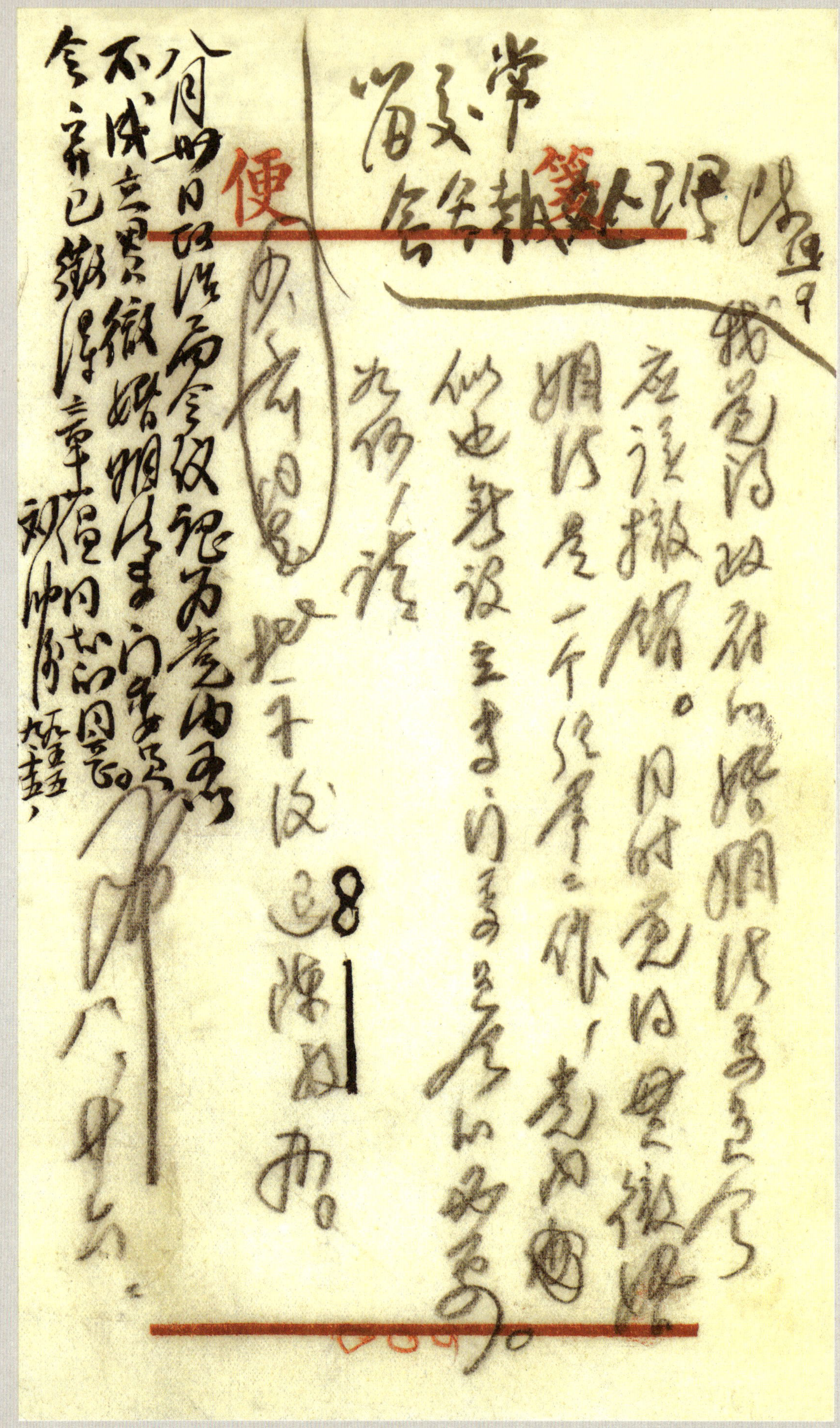

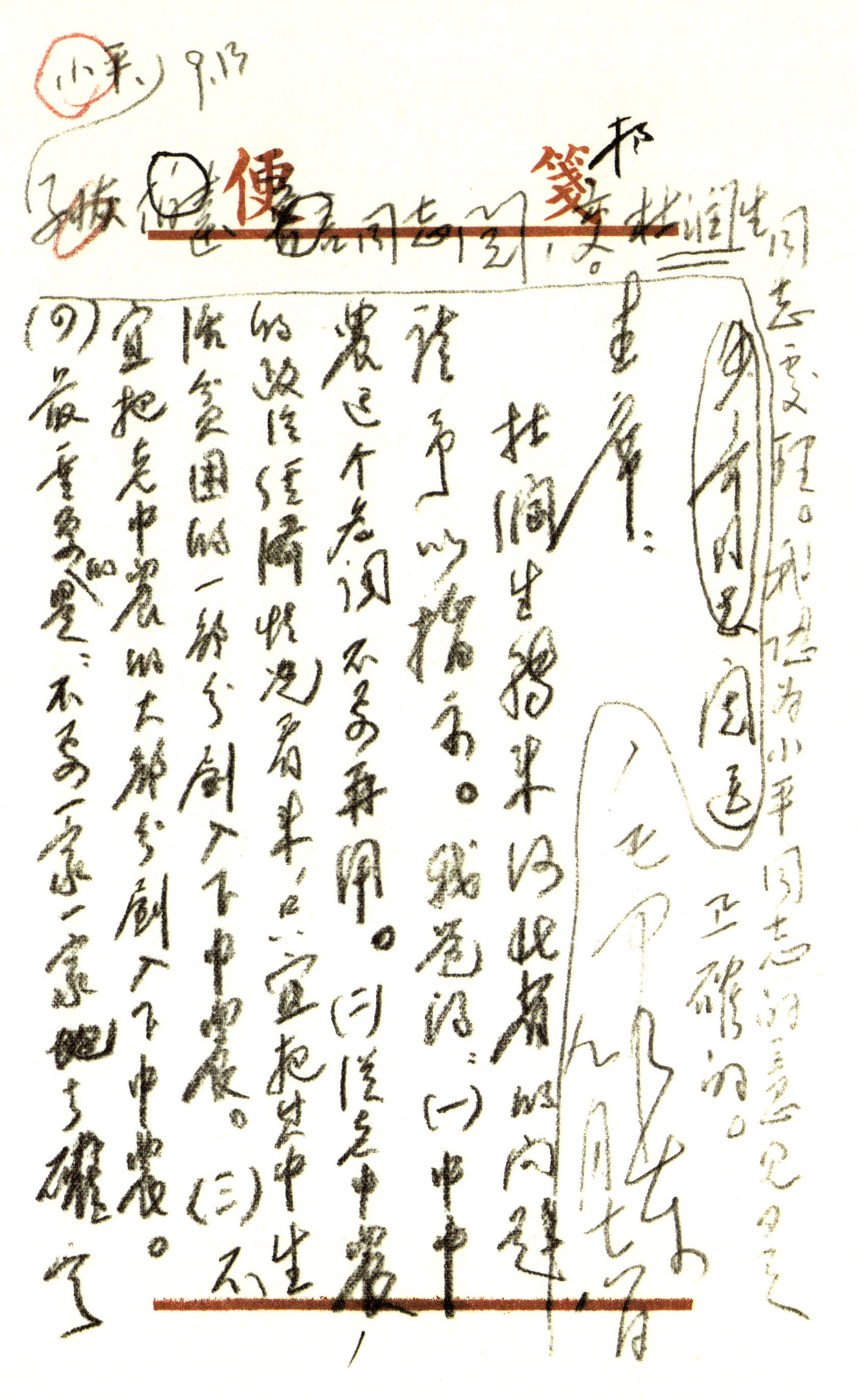

小平 9.13

便笺

主席：

杜润生转来的此件的问题，请予以指示。我意见是：（一）中中农这个名词不予再用。（二）从老中农的政治经济状况看来，宜把其中生活较困难的一部分划入下中农。（三）不宜把老中农的大部分划入下中农。（四）最重要的是：不要一家一家地去确定

我们认为小平同志的意见是正确的。

便笺

讲是上中农或下中农，事实上第一二批加入合作社的一般的都是那些比较贫苦的部分（当然也有少数觉悟较高的上中农），这对於原来加入合作社的态度，把可以去作判断他是属於那一类型。以上只是一种不成熟的看法。

邓小平

九月十六

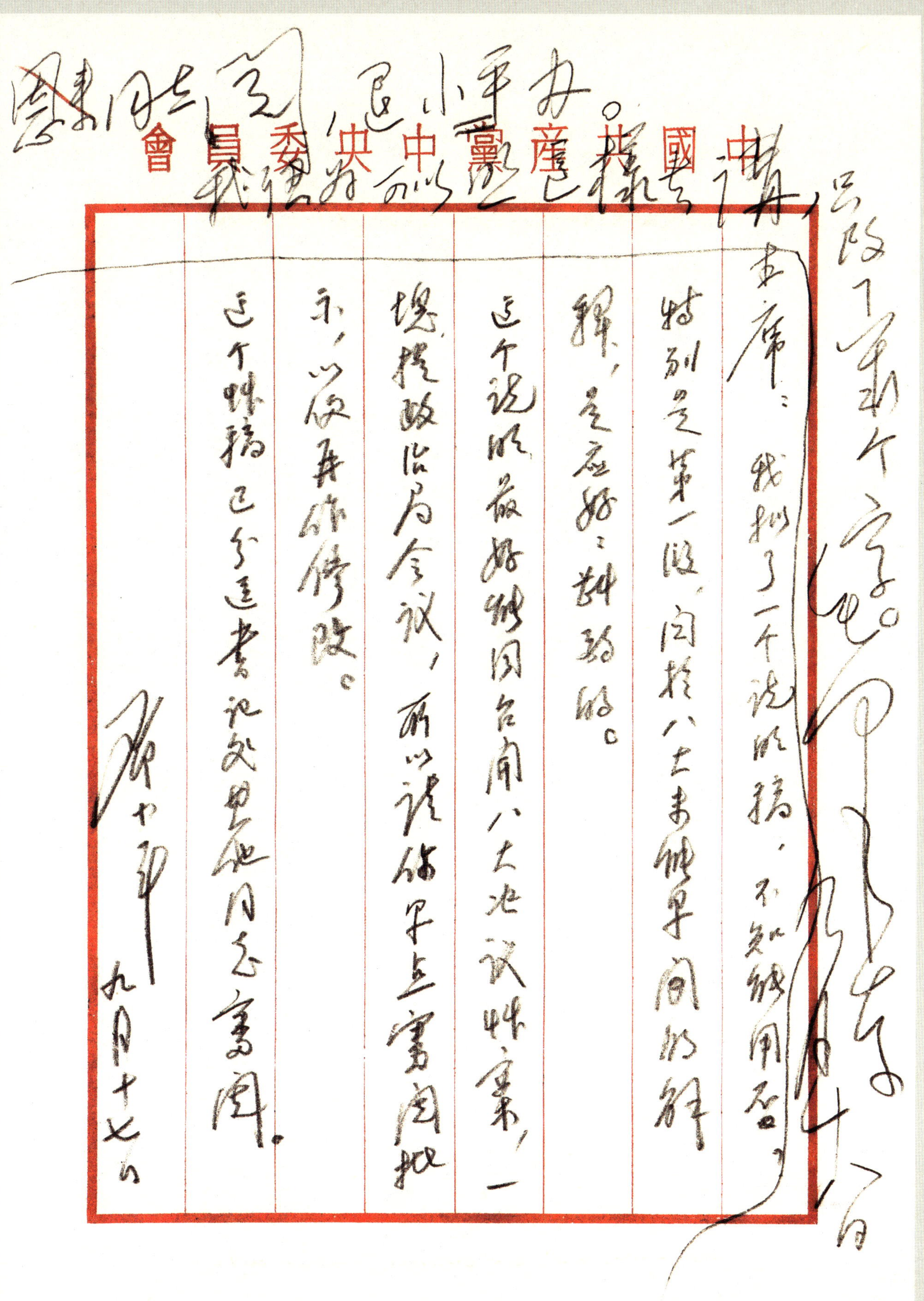

周朱陈同志阅，退小平办。我认为写得好，可以照此稿讲，只改了几个字。毛泽东 九月十八日

中国共产党中央委员会

主席：

我拟了一个说明稿，不知能用否，特别是第一段，关于八大未能早开的解释，是应好好斟酌的。

这个说明最好能同召开八大决议草案，一起提政治局会议，所以请你早点审阅批示，以便再作修改。

这个草稿已分送书记处各同志审阅。

邓小平

九月十七日

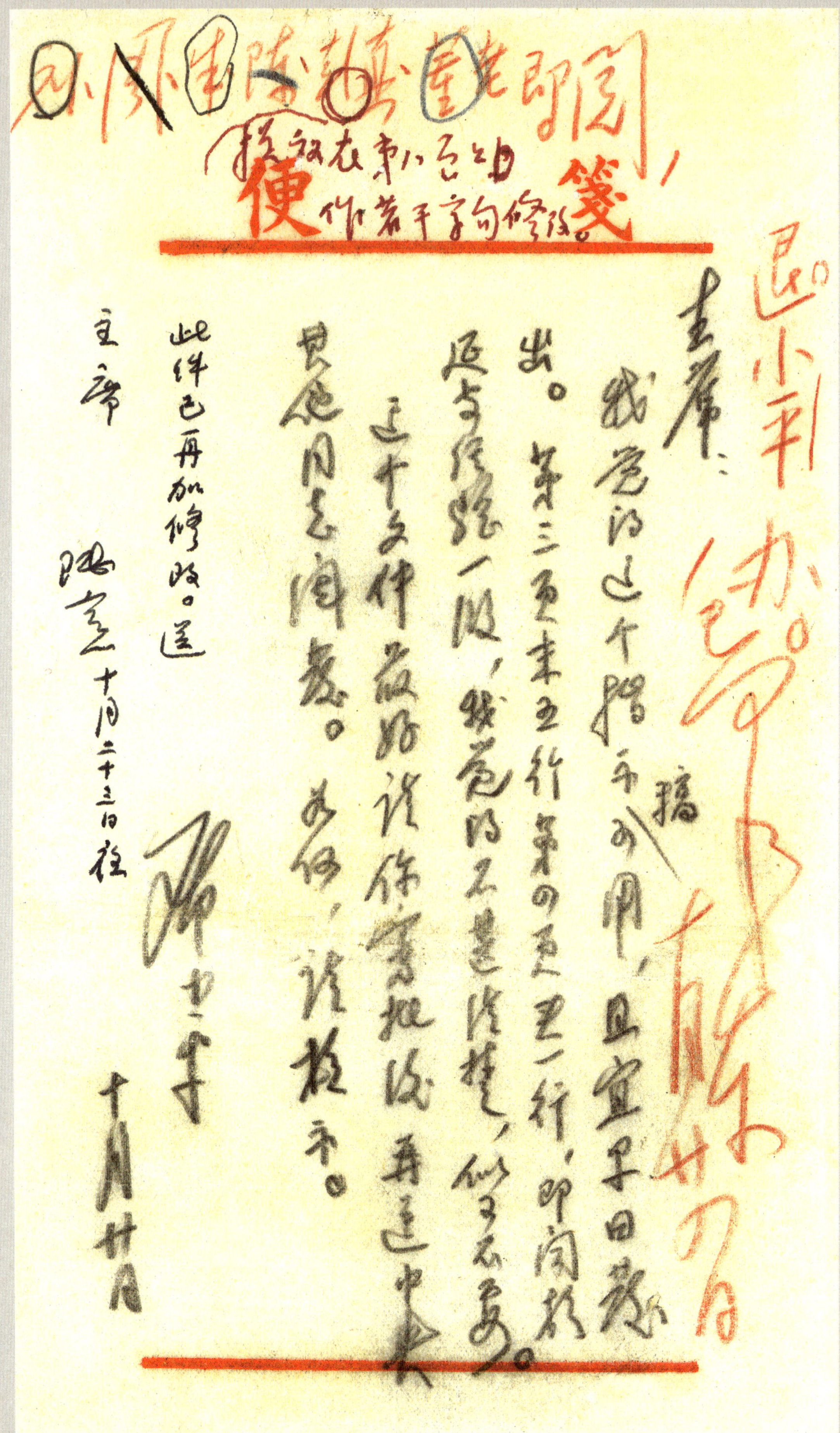

主席：

我觉得这个稿子可用，且宜早日发出。第三页末五行第四页第一行，即关于延安结论一段，我觉得不甚清楚，似可不要。

这个文件最好请你审批后再送中央其他同志阅处。如何，请指示。

邓小平

十月廿日

此件已再加修改。送

主席

阅

十月二十三日

尚昆同志：

定于后（廿九）日上午九时在居仁堂开会，只谈工业生产问题。

地方同志到十九人（省委书记的名单），加北京一人共20人。

中央副书记处同志，另请总理参加。如陈云同志身体可以，也请他参加。

请告省委书记一些先提出问题（不要长）。

在通知中，请地方同志提出问题。

邓小平 廿七夜

主席：　　经乔整理得比较成功。

"论十大关系"稿已整理好，现连同原记录两份，以及乔木写的几点说明，一併送上。

我们在读改时，一致觉得这篇东西太重要了，对当前和以后，都有很大的针对性和理论指导意义，对国际（特别第三世界）的作用也大，所以，我们有这样的想法：希望早日定稿，定稿后即争取公开发表，并作为全国学理论的重要文献。此点，请考虑。

向主席读这篇东西时，乔木留参加，因为有些地方要说明。何时读，请主席直接通知汪东兴、小平。

邓小平　七月十三日

同意。九月卅日

主席：

陈丕显同志曾多次提出到北京治病，未予置理。最近上海市委要求把他为市革委会副主任。我的意见，他还年青（不到六十），也有能力，是否可以考虑：先调来北京，然后分配到那个省去工作。是否妥当，请示。

邓小平 九月廿九日

主席：

我有些事须向主席当面谈谈，并取得主席的指示和教诲。明（一日）下午或晚上都可以。如蒙许可，请随时通知。

邓小平 十月卅一日廿二时

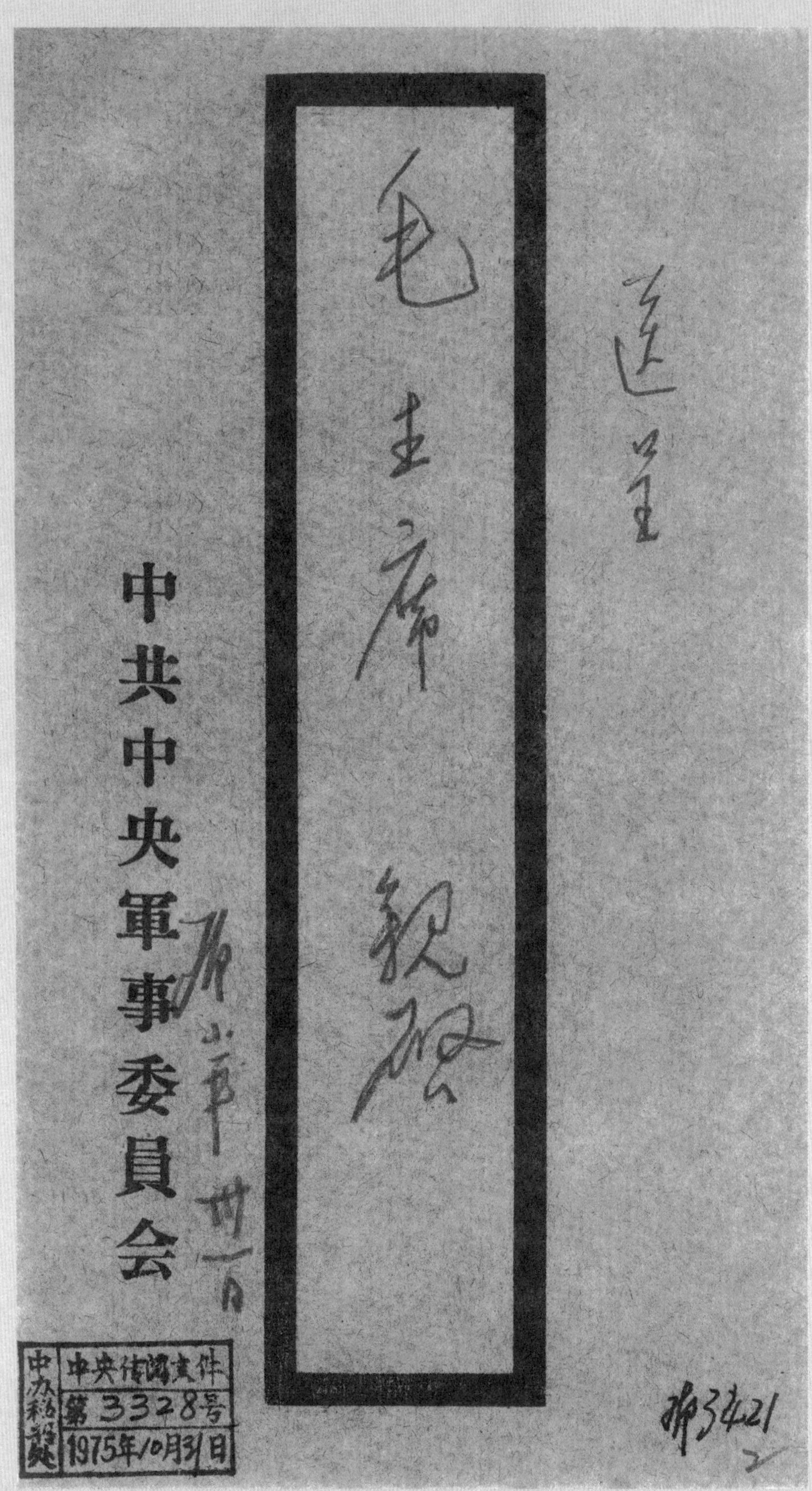
毛主席亲启
送呈
中共中央軍事委員会
邓小平 卅一日
中办秘书局
中央传阅文件
第3328号
1975年10月31日

中共中央军事委員会办公厅

在伟大的领袖毛主席逝世的时候，我曾向中央用书面表达我内心的悲痛和深切的悼念。我们必须世世代代地高举和捍卫这面光辉伟大的旗帜，我们必须世世代代地用准确的完整的毛泽东思想来指导我们全党、全军和全国人民，把党和社会主义的事业，把国际共产主义运动的事业，胜利地推向前进。

华主席、叶（不在京）、李、汪副主席：

送上两个材料（一）全国科技管理体制变化状况，（二）王震同志关于恢复国家科委的建议。

我同不少同志交换过意见，看来恢复国家科委势在必行。昨天又同方毅同志谈了一次，已告他们写一报告，提出人选意见，拟提政治局会议讨论决定。

原拟在国务院设科教组的方案，拟取消。教育部将来由中宣部主管（大学科研由科学院统一规划）。

国防科研也由国家科委统一起来，特别是要须统一规划。

这两个材料供你们考虑之用。

邓小平 八月六日

华主席、先念同志：

工大讲词，我又考虑了一下，加了两段，这是比较重要的改动，特再送请你们两人审阅。如同意，即将原件退我，再送东兴同志批印。

因时间太紧，剑英、东兴同志就不送了。

邓小平 十日十七时

文　电

4. 来俄的志愿

我过去在西欧团体工作时，每每感觉到能力的不足，以致往往发生错误。因此我便早有来俄学习的决心，不过因为经济的困难使我不能如愿以偿。现在我来此了，我便要开始学习活动能力的工作。

我更感觉到而且大家都感觉到我对于共产主义的研究太粗浅。列宁说："没有革命的理论便没有革命的行动，要有革命的行动，须得研究出革命的理论"。由此，可知革命的理论于我们共产主义者是不可少的。所以，我能留俄一天，我便要努力研究一天，务使自己对于共产主义有一个相当的认识。

我从前浪漫的东方的青年，自由意志颇觉浓厚，而且思想行动很没系统化。这实于我们将来的工作大有防碍。所以，我来俄的志愿，尤其是要来受铁的纪律的训练，共产主义的洗礼，把我的思想行动都成为一贯的共产主义化。

我来莫的时候，便已打定主意，更坚决的把我的身了交给我们的党，交给本阶级。从此以后，我愿意绝对的受党的训练，听党的指挥，始终为无产阶级的利益而奋斗！

二、七军的经过

一、由百色暴动到隆安之役

一九二九年十月革命节日，以广西警备第四大队及右江农民武装为基础，暴动成了第七军，暴动后发动了右江的群众，百色平马的群众大会到的群众非常之多，而且超过一万。经半年多的训练非常之好，战斗力非常坚强，在隆安作战中充分表现出来。

那时前委没有将中心放在发动群众深入土地上面，而决定了打南宁的计划，当时前委的估量是打南宁极有把握，桂系主力在前线没有回兵回来的可能，轻视了敌人的力量。结果到隆安即与敌人接触，经过三天最激烈的作战，敌人的损伤虽比我们为大，我们的损伤亦不小，好些个很得力的干部都牺牲了，加上作战的指挥太差，双方都是为了自己的局面，结果是我们失败了，耗费了子弹不下五十万发。

我们对于此次行动，指出了不但轻视了敌人，主要的还是忽视了发动右江群众深入土地革命，巩固右江苏维埃政权的错误，当时右江群众的情绪已开始衰退，但这并没有经过争取群众，恰恰是单纯由红军包办起来的。如果不注意用正确路线来发动群众，群众的情绪是不能保持下去，只有走上失败的路上去的。打下南宁固然好，打不下一定失败，打下了对于右江群众一个大的打击，同时当时估计也完全没有注意到群众的战斗力，单纯估计红军力量，深入白色区域去打硬战，终于受敌人（黄竹民团）的援剿，结果当时估计不到，隆安而出于东区的另外组有消灭敌人三团的可能。我们要指出这次行动实际上是失败的结果，有一部分胜利直进南宁，有全部或大部被敌人消灭的可能。

二、由隆安失败到向外发展时期

隆安失败后，完全放弃了右江沿岸，平马为敌侵占，我军第一次进攻平马，但终于没决心，故未成功，乃向东兰退去。此次攻平马没有决心是一个错误，因为如果攻下了平马，可以保持群众的情绪，事实上是可以攻下的，攻下后可以得到敌人不小的损害。后敌人进至亭泗与我接触，战至激烈，双方损失均不小，结果双方均同时撤退。这次军事上如果有最后决心，可以全部消灭敌军两团，因为我们处于优势。亭泗作战时我军士兵仍好，失败后到大不如前了。

亭泗战后前委即讨论到行动问题，决定向外发展一时期，乃有第三纵队在东兰右江工作，一二纵队向河池方面发展。本来是一军之发展的计划，后来变更了一直经怀远到思恩，在思恩因不小心被敌人袭击，损失了一个小部分桂柳，后又向贵州之古州（贵州三大城市之一）。结果攻下古州，子弹得到相当补充，经济也得到相当解决，士兵精神也比较提高，本来是准备由黔桂边直出湘南，但因为第三纵队被敌打败又折回河池。

我们攻下古州消灭了敌军之大部（约四团），对敌军经济的解决与对于部队之供给，对贵州军阀有不少的影响，无疑广西士兵及群众对于红军的观念表示好感，这是我们在各方面得到的消息证明的，结果王家烈之报纸亦不敢无我们接纳这也是原因之一。

三、河池会议放弃右江的决定

一二纵队回到河池时，离开东兰不过一月，得消息后即赶到河池与我们会面。

紧要了一个是与大会根据中央指示，同时讨论到以前的问题，认为：(一)当时湘南暴动有可能，不应迁延；(二)右江群众自红军去后失败性仍非常之高，深望红军去而不济，并发展群众团右江工作上，需要红军回右江一时期；三、回右江可以发展七军，回四到百色可以解决服装经济的问题。因此决定回右江一个短的时期，并且当时知道主要还是深入右江土地革命发展改造红军，但绝不固定（迟）速向外发展。（此时是阴历五月初）。

四、回右江后的工作

回右江后即恢复了沿岸的城市和政权，并百色解决了敌军五六百武装，在百色仅十日，适滇军一师攻侵百色到南宁攻坚，我军在力量上不能与敌人正面作战，故决定暂时退出到平马奉议，并采用游击战术扰乱他打击他的一部分，结果在果化作战有五日之久，敌人损失甚大，超过我一倍，受死二倍，七六为伤亡六百，我军伤亡只二百余人，但因军事技术上的缺点，没有彻底打击敌人之一部的计划，仅得到数千子弹而已，结果使我们还是吃了亏，然而滇军对我们再不敢轻视，后来南宁失败亦再不敢与赤色区域为难。

依滇军作战后即回师攻百色，因为大炮问题及敌不过长铳这样一点技变（李土匪）问题，牵延了一个时期，后百色打了手（陈运）难攻下，故又改变不攻百色而平马田州思林果化一带加紧工作，把右江创造右江的基础，改造七军发展武装，并在经济上准备向中心区域发展的出发休整。

估计在右江约有三月半之久，没有一天停止武装行动，与豪绅武装的作战简直成了家常便饭。

至于在右江的种种工作，以后另行详讲。

五、向中心区域发展问题之讨论。

回右江时即已决定在右江仅是短的时间，与滇军作战后又感到此问题，因为(一)经济来源很困难，(二)我们收到的是红军号召农民的扫荡，只会被敌人伸张而使农民发生反感，并且农民分得了地主豪绅土地必定得到了我们才能保到收成到土地革命之意义，故当时决定，拥护保护秋收的原则，计划九月底可出发。结果实现了这个决定，定在十月一日出发，出发之前一日南方局代表邓拔奇同志始到，故改在四日出发，十月二日至五日开了一个会议，接受了中央代表报告六月十一政治局的决议，我们接受了这个路线决定：（一）改变军队编制为三师，第廿一师在左江作为发展一军的基础，由李明瑞同志任师长，十九、二十两师（每师两团）出发；（二）因恐第七军出发时与右江根据地之关系，第八军的一部队伍改编，故大部由凌云转到河池，我及李明瑞同志同到东兰，布置右江之工作及革命委员会第三纵队出河池；（三）在河池集中全军举行全军的整编（检阅）的同时提高士气，并开全体党员代表大会。

六、河池的全军党员代表大会（十月二十一日开的）

河池会议完全在执行立三路线之下开的，确定了第七军的任务是「打到柳州去」「打到桂林去」「打到广州去」三大口号，在此三大口号之下完成南方革命，阻止南方军阀不能在一年一年内以武汉为中心的首先胜利之建设，完成南方革命。执行此任务的红军就必须集中攻坚，决定创造地方暴动，迅速打到柳州桂林，向北江发展。不过我们认为执行此路线不应先下柳州而是要先取桂林，因为桂林不仅是外面政治影响很重要，同时估量到打柳州的困难，而取得以桂林为中心的柳州才有可能，不过在一方面还要创造打击敌人对柳州取一个包围的形势。

这次会议改选了前委，批评了过去的错误，并特别提出了数字士兵运动的问题，但经过了六个月，并无人员去实现。

七、由河池出发到攻长安

由河池出发时经过了一个整编，步士兵热烈积极，纪律还好，一个小小的插曲即经过了怀远，敌人退到对河与我隔河相持，当时发生了一个是否攻长安的问题，有两个意见：一方面坚决的主张打到柳州的路线去攻长安，且很可能；而反对的意见认为长安是敌人重镇，敌我生死力量，同时没有攻下的把握，如攻不下，很困难，并且我们到桂林有一条大江相阻，如不迅速渡过，敌一回来很难通过，这一意见不但不坚决攻长安，且不赞成攻融县。我及李明瑞是后一个意见，结果通过了不攻长安，攻取融县，到天河再看形势的决定。

到天河时讨论我们渡河问题，由于立三路线，而经三防[illegible]长安等议，敌人沿线还作长安防御，次日忽得报告说融县有一小河可以通过，到长安的路又临时决定到融县，行不四十里即在四把与敌接触，没有敌人还来前

此役战，我们攻伐君屯附近与敌相持三日之久，最后乃决定脱离敌人

仍由三防到长安，沿途均有民团相援，到三防因天雨休息数日，即到长安，

先时长安已有重兵住防了，敌人有两师在又上下团，我们攻长安有五日之久

打得敌人胆寒，只有死守城内，白崇禧亲到指挥，斩毙守将指北门不死守，该

得报告敌人又加一师兵力，故决定撤退，只得背之打破敌不敢追出一步。长安

作战的确是充分表现了七军的威风，敌人称我军是全部的北伐老兵。但长安实际

上我们还是吃了亏。

根据一年新区工作的经验，提出今后进入新区的几点意见。

第一，关于出动前的准备。应注意思想、组织、政策、军事和经济等方面的准备。我们南进时就是缺乏准备，所以吃了很大的亏。在思想上，农民恋家乡，北方人到南方，都是极大的问题。而到新区（南方）后，又确实遇到许多困难，如吃大米、走山路、走小路、蚊虫多、水土不服、语言不通，打山地战等等，都会影响到干部战士的情绪。所以出征前要向干部战士说清楚，反复说明这是革命的问题，启发思想觉悟，巩固士气和信心，十纵南进时就因为作了深入的动员，南进后部队一直是巩固的，情绪一直是好的。在组织上，要有足够的干部随军行动，这些干部都须经过政策和作风的训练。在军事上，要有适合于山地战的组织和装备以及山地战术的训练。在经济上要使部队进入新区后不致马上发生供给困难，而破坏政策和纪律。而新区的各项具体政策，必须在干部中施行教育。

第二，关于展开。进入新区工作，首先的任务是打胜仗，但占地盘不可分开，但也有矛盾。要占地盘，不能不分散一部兵力，乃至削弱一部主力，减少作战力量。但不占地盘就没有后方，就不能发动群众，就无法供给粮食军需，就不能收容伤病，也就不好打仗。故适当的兵力展开，占地盘是非常重要的。中原曾不顾割断在于全面挺出很大兵力展开，建设军区分区和地方部队，今天已经是有成功的。对于展开，也应尽可能做到较有准备，大别山因无准备，化了近两个月时间才展开完毕，12月桐柏地区（以及）大别山的经验，预先配好分区地委专署及县级党政军的一套机构和部队，故十天半月就大体完成了展开的任务。今后到新区，最好事先确定区分野战军和军区，每个军区为一单位，配齐军区分区县三级党政军机构（包括部队），但战略时期，随之一路展开，收效最快。而展开的部队除由野战军抽拨一部以外，最好能从老区抽调一批地方武装和民兵干部，以免过于削弱野战力量。

第三，关于作战。这要看当时当地的敌情而定，但对生疏区作战的困难应有足够的估计，特别在进入新区，要掌握住不打无把握之仗的原则，不要轻率作战，因为如果受挫，就易陷于被动，小则大批减员，大则被迫离开。最好采取先大机动寻找好打的敌，既可因胜利而巩固信心，又可熟习地形及其作战条件而使上下增加把握。一俟敌情比较熟习，军区及地方工作全部展开，倘若有地方武装开始进行一些较大规模的歼灭战，以扩大影响。但这不是说在新区没有把握的大仗就不打，更不是说要采取逃跑的方针，如果这样也会把士气弄得很坏，甚至是很危险的。特别在围攻时候，大部主力必须坚决作战，把敌人气焰压下去，才能巩固自己的士气，大别山九月间就有这个经验。作战的另一重要问题是如何集中的运用问题，我们过去野战军与军区配合的办法，以野战军集中打大仗，以军区部队分遣作地盘，消灭地方反动武装和打小仗，这就解决了一个主要的分遣和集中的问题。敌人对我，在我大军压境时，採取放弃一切次要城市据点，免被我消灭的办法，採取调集兵力，其兵力大于我时，则实行围攻，兵力薄弱时，则实行尾追，使我无喘息余地。所以野战军也需要相当分遣集结（在山地就会也有时不得不分遣），分遣以分散敌人，造成敌之弱点，而后适时集结歼其一部。其要点则在于及时分遣及适时的集中歼敌，故分遣需要时而利于集中的条件。我们虽然也可以主力监视敌人，而以一部（少数兵力）来发动群众，如襄樊作战即其一例。军区部队的运用，也有分遣集结问题，在展开时，我们在敌地区是採取比较分散的分散控制地方工作的办法，而桐柏三个区则以两个团中之数小部控制地方工作，集中一个主力团转机歼击反动武装，结果我们伤亡最少，士气民气最好，收效最大，这种办法比较妥善。即在新区要以集中力量消灭敌之军事力量为原则。对新区（山地）的农情特别是经济的更应注意和调剂，也应重要。

第四，关于供应。这在新区首先接触的最大最重要的政策问题，在毫无工作基础的条件下供应大军，无论如何我们都缺乏此种经验。在中原曾採用打土豪以字对用粮食粮草全部办法，造成很大的混乱，证明不能再用。今后不打土豪，许多东西需分级负担，没有机关供给，没有库存粮食用纸币买东西，开支费用很大，如无办法不可避免的要形成混乱。其要的办法是：(1)带一部分现洋，以半年为期，月以每人两元计算，分配出菜金、茶烟及什费。(2)带领一批军用流通券，随军发行，随军兑换，其能起保证作用的是保证国家，小商人之利，好处些可以应急，在周围也可不致过于混乱。发行办法则应作几套研究，要使印刷避免粗糙。(3) 收好城市税收，照旧章程收一天收一天税，同时适当的向商会筹款。(4) 公营收款。(5) 粮食征借办法，可以利用保甲征借，（在不能实行合理负担之前）但保甲对我必取应付态度，因此我应有比较健全的粮食机构随军工作。一俟局面打开，即应实行公粮制度。(6) 缴获全部归公，可以解决一些问题。(7) 因此随军的财政机构必须健全，可用新地区政委会名称，全权负责管理征借粮食、税收、筹款、接管城市、没收和处置缴获品、必要的没收（敌伪财产），军队的供给部门分化出来，接管。地区政委会在纵队设分会，在团设办事处。必须举行大批干部做这项工作，新区局面打开后，这批干部即成为财经建设的骨干。

第三，关于社会政策。中央五月廿五日指示的原则，中原局六月六日指示规定的执行办法，以及以开封为范例的城市政策，是合用的。只要我们不左，慢慢的来，就不会出大毛病，就能团结大多数孤立敌人，又能减少军队的困难。我们在新区必须经过一个军事斗争时期然后才能进入巩固时期（这是大体的划分），在军事斗争时期，我们的策略步骤，对群众主要是政治解放，解除其切身痛苦，对敌人主要是政治打击，必要的没收也只是政治性的没收，斗争对象只是其中极反动的部分。此时期特别要发挥政权的作用和加强宣传工作。政权由随军的地区政委会，展开的地方各级临时的人民政府，一方面使用政权出面比由军队直接出面要好，我们到大别山时，人民对我们第一件要求就是“要政府”，因为人民最怕紊乱，怕无政府，要求有秩序，“不搞”的本身就是团结大多数的大政策。在继续用宣传武装（宣传队，剧团，新华社等搞开总的宣传，政府出布告，开大会，开座谈会，宣讲会等等），宣传我们的主张和政策，戳穿敌人的造谣和挑拨，可以从政治上夺取阵地，安定民心，造成新区的新气象，可以广播来，扩大影响，吸收一些知识青年加入我们的队伍。我们在豫皖苏这次这样做的收获很大。我们在大别山没有这样做，吃亏很大。一经军事局面打开，就大体上进入巩固的阶段，工作重心即可放在实行合理负担及有步骤有准备的进行双减，建立税收制度，但此着须谨慎来设定，应注意到组织等项工作上面。

可以分步骤建什么样政权的，什么组织的和吸收什么样的干部，建立怎样的政权要怎么才能。

第六，关于武装。每到新区，务必以最大力量建立地方武装，这是我军扩大我们主力的重要来源，也是巩固我们的重要力量。中原政策搞左了，但还能建立和扩大地方武装十五万人左右，如不搞左，数目必更大。但在建立时应不怕麻烦抽调干部及老干部队以作骨干。当民兵在群众未发动以前，则不宜建立。此外每到新区，一定有一批在乡的士兵要求加入军队，故应注意个别新军的工作，多年以来，我们对这个工作都很生疏了。

以上六点指出我军进入新区的几个问题，供你参考。

第七，关于干部。新区所需干部数目很大，中原现有干部来自华北一万一千，华东六千，军队抽出四万余，当地的近三万，不过这批干部以村级的居多，质量不够高。为全面开展区以上干部尚需大大减少。同时我们提拔新干部谨慎些不够，影响工作发展，特别是对提干部太少，更感缺乏。据中原区需用干部的估计，如在江南开辟一万万人口的地区，所需之总干部当在三四万之间，应从中央多予帮助。同时老区干部学生大批回乡，当作大学进入，也是一大来源。

邓小平 八月廿四日

粟郭并告谭 二野三野

(一)巧十四时电悉你们提议号(廿夜开打黑须渐同时全部渡江对于这点只要[illegible]有可能就可以这样做。按这报个别部队廿(哿)晚开始就一直打下去待先过江就应该先过江不死等[illegible]齐因为全长一千余里的战线上完全等齐是不可能的 但你们仍应实情考虑防止下面轻敌

(二)军委已完全批准我们的计划,望饬令全军努力完成之

报前委 25[illegible]九[illegible]

刘邓

毛主席：

三四两个月在检查紧张和忙乱中度过。二中全会後我们三月十八日才回到前方，其时中野各部刚过淮河，华野各部亦多在运动中，天雨路烂，困难甚多。但各部还能按预定计划於四月五日以前先後进到江边指定位置，加紧渡江准备工作。到四月十日，除东线八十两兵团外，西线之七九三卅三个兵团已有充分准备，渡江把握较大。四五两兵团则因时间仓卒，推迟五天渡江，对他们极有好处。廿日廿一日两夜所有部队都按予定计划迅速地[illegible]

抄魏秘书长。

渡江的作战胜利，这是由于敌人抵抗甚弱，更主要的是由于我军在军事准备和政治动员两方面均属充分。而江北各地党政和人民的努力支前，特别是皖北新区尽了超过其本身能力的努力，也起了决定作用。我军渡江后，战局发展太快，敌人拼命溃逃，我军一面占领南京、芜湖、镇江、常州、无锡、苏州、杭州数十城，一面追歼逃敌，阵势亦形紊乱。截至辰江为止，由常州迄湖口沿江一线向南逃窜之敌均已被我基本上歼灭（已知俘虏十二三万人）。苏南、皖南、赣东北三区党委及干部均已进入开始工作。浙江省委已进占杭州，作战即将完全胜利结束。

陈谭震林及七兵团昨到达杭州，但广德诸省之干部尚需时日才能到达。一般说来，各地方党政机构有的尚未到达，有的才开始工作，皖南各县因我大军过境，秩序很乱，具体情况，各地尚无报告。

华南局并转广州市委并报中央

叶剑英同志对广州接收后十天（十月廿八日到（十一月八日）的工作报告很好。你们对该市国民党公家财产的接收工作即应结束和清理账目，所以你们的注意力即应把中心转到对于生产问题的处理。广州是江南除上海外的最大工业城市。处理得好不好，对上海及其他城市均将发生很大的影响。要把生产问题解决好，就必须根据毛主席指示的劳资、公私、城乡、内外、四面八方兼顾来解决问题。广州的工资问题业已（考虑问题中）提出，工人和资方均希望能作最后决定，最后决定之时尚不可能，但应作出适当的临时的解决，甚为必要，否则双方（工人）顾虑均大，很难复工生产。解决的方法，宜用双方和平协议政府加以仲裁的方式为好。一般采用原来的工资标准，力求迅速开工为原则。只宜对原来标准中个别极不合理急待改变而又因比较容易改变者，加以适当的调整，切不可变动太大太多。拖延时间太久，影响开工和生产，可以向双方说明迅速开工，于劳资双方均有利。许多问题可在开工之后继续讨论，以求合理解决。这样解决是会为资方也会为工人所接受的。同时在规定工资标准时，应适当照顾到小私企业，大体相等，大工厂同小工厂的差额不要比过去增大，以免影响小工厂继续营业。另外在工资问题同时，对于恢复生产的各项困难，如燃料供应，原料来源和产品推销诸问题，应鼓励资方多方设法解决，政府在可能的范围内在公私兼顾的条件下予以协助（如煤炭供应）。你们已经注意到对于工人的组织和教育，这是很对的，但在教育中，要注意从工人阶级的根本利益上去说服工人懂得党的劳资两利的方针，防止可能产生的左的倾向。但你们对于劳资关系中一些不合理的东西，应商好着手研究，在客观条件许可的程度，在劳资双方的协议下，特别在生产发展的条件下，有逐步的使之达到合理的解决。这里，你们还应使我们同志和工人了解：恢复和发展生产，没有自由资产阶级的积极性是办不到的，而资本家只是在有利可图的时候，才会有积极性的。我党在新民主主义阶段对私人资本主义是采取限制政策，这个限制政策是依各地各业及各个时期的具体情况而采取恰如其分的有伸缩性的限制政策，是从事业活动范围、税收政策、市场价格和劳动条件诸方面加以限制，而又不把私人资本主义经济限制同太大太和的限制政策。这些早则在二中全会决议中已有明确规定，请你们注意研究。今天各省的资本家正从多方面试探我们的态度，他们企图保持其原有的经济的和政治的地位，他们在长远的岁月里将要在多种形式下同我们进行阶级斗争，你们对此有所警惕是对的，但是你们切不可同他们的关系弄得很紧张，而应主动的同他们的代表人物接触，召开资本家的座谈会，详细解释我党公私兼顾劳资两利的工商业政策，同时以坦率的态度告诉他们抛弃反动分子，以利于我们同他们的合作。

1 抄報紙

28.36

來自 貴州	抄往 二部	原 173 號	編 140 號
內容摘要	安順地委对平壩各代会各项决議的意見		

西南局：

對各代會材料我們已收集整理五天個地委并作了初步總結隨即送来現先發來平壩縣各代會之材料該縣開的雖不好但其他十余縣均得有成績收効很大待後報。

貴州省委

丑寒

2.14

安順地委對平壩各代會各项决議的意見：

你們這次在各代會中討論并通过了當前中心工作的决議而且在領导上使代表們情绪由減少負担到提前完成任務使代表認識到政府的困难就是人民的困难這都是很好的但從你們决議中看從領导过程来看犯着严重的尾巴主義的錯誤，提出幾点以便今後注意。

(一)在剿匪問題上封建反動的联係建廃制度與我党依靠基本群众团结各階層進行剿匪工作是根本不同的对土匪政策应貫徹首悪脅從区別不同情况

各地并报快：

我們到过西南的一些地方，普遍能够召開了各界代表会议和农民代表会议，这是组织好，但是会议開得如何，如何作法，又如何掌握和貫彻，要负責对平壩縣召开代表会议的检查与作法，对付，比较好，因此那样的性质。西南局 丑巧

小平

抄者 校對者 2.18 頁

2.18

抄報紙　73.25

來自 川西	抄往 武号	原 62 號	編 300 號
內容摘要	蒙陽匪特結合封建勢力破壞的情形經驗各地參考并報西南局。		

根據新繁縣委書記王瑜山同志談新繁在蒙陽此次匪特結合封建勢力進行破壞的時候有幾點經驗各地可參考。

新繁在各地匪特猖獗時本地匪特亦配合行動破壞擾亂他們威脅群眾辦法主要是二個:第一是抗糧,第二是威脅鄉保長帶隊參加。說鄉、保長過去得罪農民太甚,並不會寬大,如不參加則將偽我人員殺害於鄉、保長家內以達脅從目的。依此匪特猖獗數日,在此數日內縣委會進行以下幾件工作,對配合剿匪安定秩序起了很大的作用。

(一)新繁縣委在徵糧工作開始時發現大紳閻椿淋(原偽參議長現年八十餘歲)比較開明,派糧積極,自己主動先繳

抄者　　校對者　　頁

各地并报中央。川西新繁县的经验特发各地,根据其他地区的材料,也有同样的经验,即凡能开展统一战线团结了一些开明士绅的,都较易于克服困难,解决障碍。凡不重视统一战线而孤军作战的,都遇到莫大困难重重,而此新繁的经验应引起各地特别的重视。西南局。

二月廿八日

各地委并中央：

这报告简明扼要，特请发各地参考。目前各地在征粮中的问题[illegible]很多，但很严重，干部作风非常生硬，必须注意说服教育。

邓书记：中予以研究、

西南局 四月十九日

（一）目前我區关於各界人代會問題，除南充縣、兩外，尚無書面報告到署，故對西南亦尚未能作出完整報告。據此次来財委開會之各地幹部談，我區截至目前止，已有十八個縣召開了各界人代會（計：南充分區八、遂寧分區八、劍閣分區一、及達縣城关）。其余大部皆可於四月上旬召開。但因幹部思想上對下列問題未得到很好解決，故一般收獲不算很大。（一）某些幹部認為各界人代會不好開。對所謂開明士紳有戒心，怕議案通不過，怕他們在會上搗乱；（二）老區土改、三查，整黨的副作用，在幹部中遺毒甚深，他們不去回憶老區基本上正確的那一面，不去正確了解過去的缺点，怕犯錯誤。他們的說法是不開人代会，頂多說我們工作沒做好，但不至於在將来整我，左了右了等等。（三）對新區情况了解不多，只怕坏人鑽進来，事实上因為工作沒做好，有些縣的代表就是麻麻糊糊来的，据南充分區縣政委談，蓬安縣的代表經交農會審查，結果还有一個守統份子。縣的負責同志就很担心。（四）有些縣長，特別是農民幹部，不敢与開明士紳接談。因為人家一談就是之乎也者，自己答对不上，甚至有些怕到人代会上去作報告。因此形成这些縣内我們的工作幹部條件缺乏等。（五）認為川北真正的民主人士不多，有的例是封建人士。（六）由於以上問題，和机械的按人口分配代表，故除個別縣外，一般的農民成份佔最大多数，机关代表也不少。而其他各界代表比例都太少了。（七）據遂寧分區四個縣不完全的統計，任家同志：

西南保障对外贸易四十吨钨一事，有关国家信誉，中央非常关怀。请你亲自掌握用全力保障此任务之实现，并随时将情况向中财委及此间作报告。

邓小平辰东

发 邓

各地并报中央、兹将云南省委关于禁止村级浪费的指示转发你们望注意检查有无同类的现象。西南局 卯四日

抄報紙

來自 雲南	抄往 二号	原 25 號	編 54 號
內容摘要	糾正各地村经費開支規定		

各地委工委並报西南局：

近來發現各地村经費開支多驚人的浪費現在如：以辦公為名吃喝招待起伙吃大鍋飯甚至招待工作人員看戲洗澡等任意揮霍極大地加重群众負担此种現象必須立即严禁兹規定：

（一）各專區即根据村莊大小規定村脫離生產人数及村鄉辦公費未经批准不得自行增加。

（二）工作人員下鄉自帶粮草票菜金一律不准接受招待。

（三）村裡不准自籌经費違背以上規定者予以處分受招待以贓同貪汙論處。

（四）省府單區禁止鄉村自籌经費禁止浪費招待的佈告即日拟就發下各專署即自行翻印在各地帶張貼。

省委 卯儉

已抄一二三号　　秘三科5.4抄

已抄發

抄者 李　　校對者 馬　　頁

1

中共中央西南局及西南军区党委会
关于干部整风的指示

一九五〇年五月十二日

(一)中央指出在干部中，存在着严重的官僚主义、命令主义，大大损害了党在群众中的信誉，使党的政策不能贯彻，使各项工作任务受到影响，因此，在全党面前提出了整风的任务。这个指示对于西南来说，尤其重要。我们进入西南后，进行了接管城市、征粮、收税、剿匪和改造九十万国民党军队的工作，任务艰巨、复什而繁重，各地多数党委及多数干部在这些工作中，是非常努力的，工作也有成绩的，但是，在这些工作中，也暴露出严重的缺点，官僚主义和命令主义作风，普遍地存在着和发展着，甚而产生了脱离群众的严重的危险。不少干部把完成工作任务与实

2

引起党的政策和国家法令对立起来，因而相当普遍地漠视政策和法令，一意孤行，有的同志甚至根本不学习党的政策和政府法令，完全靠着自己过去和狭隘经验办事，许多老区业已批判的错误，如乱捕乱打等若干恶劣风气，又在新区中重复起来，这不但发展了无政府无纪律的错误，而且大大地损害了党的信誉，并使各项工作很难于完成。必须指出不少地区征粮所以不能顺利完成，固然特务敌探煽动群众暴动，但其主要原因之一，我们执行一些干部的不讲政策，作风恶劣和脱离群众是分不开的。在军队中，军阀主义的骄横倾向又在滋长。无论军队地方，特别在城市工作的一部分干部中，贪污腐化、闹地位、（离婚）、甚至脱离战斗作风，丧失前途，干部的腐化堕落倾向，也在发展。因此，根据中央指示，在西南全体干部中，开展整风运动，是非常迫切和需要的。

（二）西南因为解放不久，工作时间尚短，工作任务繁杂而紧张，骨干干部既少且弱，新的也很多，征粮才征起不到百分之四十，税收才征起约百分之三十，剿匪虽已见成效，但还需相当时日才能达到肃清股匪的目的，而领导农业生产的工作又不容丝毫放松，组织群众和今冬明春的减租退押又须准备，故抽调干部整风必须照顾实际工作的需要，必须要分期分批，以免偏废。因此，各地整风必须照顾当前实际工作需要的情况，从检查接管城市、剿匪、征粮、各界人民代表会议等项主要工作入手，展开批评和自我批评，审查执行政策是否正确，及看各人作风好坏，以此作出鉴定，以达到使干部在政策水平和思想作风上提高一步的目的。整风的重点在于检查官僚主义和命令主义，但对于正在滋长的骄傲思想和军队中的骄横作风等，亦须针对本身实际思想情况，加以纠正。整风的目的，在于提高觉悟，改正缺点，故不宜

4

着重组织传播。只有对于个别品质很坏，错误严重，屡经批评毫不改正的干部，才应给以必要的处分。同时，对于那些已经执行政策，作风纯正，联系群众的干部，应予鼓励，以资表扬。

（三）西南参加地方工作的干部的计三万，其中有一年以上党龄的和原地下党员约数千（数目不详）三万几个人，这是地方工作的骨干，也是我们主要整风的对象。其中又以区委书记、县委书记以上（军队是团以上）为主要的对象。根据实际体验，一个区能有一个好的区委书记，有一个好的领导核心，就可使工作少出毛病，就能团结党内外和教育新老干部做好工作，（所以首先要树立好的作风，）首先弄通他们，就是一切问题的关键。因此，建议各地第一步以省委区党委为单位，首先集中县委书记以上干部整风，然后依靠他们为骨干，步骤是县干部整风。第二步以地委或按系的县委书记为中心，集中县委书记以上干部整风，然后普及于其他区乡干部。每次整风时间以五到十天，多则廿天为限度，以期不致太多耽误工作，并使大部分干部在夏秋季（剩余一部在冬季）整风完毕，以便领导农村中的减租运动。对于新开地区及新西南各地吸收青年知识份子，不应视为整风的主要对象，而应有计划的分别施行短期的轮训，但应尽量吸收他们参加整风学习和会议，使他们获得锻炼。

(四)在整风中，应阅读一定文件，作为启发思想、发扬批评和自我批评的武器。根据目前党内思想作风情况，拟定：(1)史毛论批评与自我批评；(2)史毛论与非党群众合作；

6

(3)各同志应拿联共党史的四部论党的路线；(4)毛主席在二中全会报告和第十条等文件，作为整风阅读的几个主要文件。此外，在检查工作中，要随时注意搜集或摘印有关政策的文件，以加深对于问题的了解，和引起干部对于上级决议指示和政府法令政策的重视。

(五)除整风外，各地应按本身情况，开办党校或短期训练班，有计划的经常的轮训干部。

(六)各地应根据中央和西南局指示，及本身工作任务，要制定出整风和轮训干部的计划，一面执行，一面报告我们。

(七)这个指示适用于地方和军队。

已发 5. 　　28.104

抄報紙

來自	抄往	等級	原號	編號
贵州省委	[illegible]	AA	346	408

内容摘要：莫鳳楼被匪殘害经过詳情

西南局：

茲將前呈請為省府委員兼少数民族事務委員會副主任莫鳳樓遭匪特殘殺事報告如下：

接都勻地委五月五日電称：四月廿九日夜荔波匪陳僕参将独山莫鳳樓全家殺害本人及親屬四家共殺四二人。据初步了解被害原因是由於三次拒絕陳匪引誘並進一步向我靠攏。第一次陳匪派人要莫帶武器彈药壮丁到荔波去並以莫為縱司令陳為副司令被莫拒絕。第二次陳又派人要莫帶武器彈药壮丁交去亦被莫拒絕。第三次要莫去参加計划打麻尾的會議莫不但未去反將陳匪計划報告我駐麻尾部隊陳匪兩次打麻尾均受損失這是陳匪对莫最痛恨的。現除由独山政府軍隊協同進行善後安埋與安置其逃出親屬外（已逃出的有十六人）並籌備由地委專署派代表参加在独山

抄者 　　校對者 　　頁 　　5.22

各地并雲貴：茲將贵州省委十七日報告轉發你們。反動匪特殘殺我党员干部及知名民主人士，為其陰謀破坏的主要手段之一，望各地、川康區尤應對於各少數民族民主人士的保護，對於我們自己同志的保護一樣重要，各省各部門要求你們加以研究，列入自己的工作範圍之內。西南局 辰養

関於禁绝鸦片烟毒的实施办法

（西南军政委员会七月　日通过）

西南鸦片烟种植面积之广，吸毒人数之多，为全国冠，其流毒之大，非言语所能形容。兹为坚决执行一九五〇年二月廿四日"中央人民政府政务院関於严禁鸦片烟毒的通令"起见，拟定禁绝鸦片烟毒的实施办法如下：

(一) 自本办法公布之日起，严禁种植鸦片。凡已种植之烟苗，一律全部铲除，改种农作物。违者从严惩处。

(二) 严禁运销和贩卖鸦片、吗啡、白面、金丹及其他麻醉毒品。原有运销贩卖毒品之商贩，限於本办法公布之五日内，向当地人民政府或公安机关全部缴出其存货。倘有继续运贩烟毒或抗缴存货者，一经查觉，定予严厉处办直至死刑。

(三) 严禁开设鸦片烟馆。凡在中央人民政府政务院一月廿四日通令公佈後陸續開業之鴉片煙館，限於本辦法公佈之五日內向當地人民政府或公安機關繳全部收呈其煙具存貨（沒收煙館主人本人所有的用於煙館部份之房屋和傢俱），并按煙館大小課煙館主人以適當罰金，其罰金數目由人民法庭判定之。倘有陸續開設煙館或採取其它秘密隱蔽方式供給吸毒人以毒品者，或抗不繳呈煙具存貨者，一經查覺，定予嚴厲處辦直至死刑。

（四）嚴禁製造嗎啡、白面、金丹及其他類似毒品。原有製造者應向當地人民政府及公安機關自首，全部繳呈製造工具及存貨者，得課以適當罰金，并從寬處理。倘敢陸續製造或抗不自首，一經查出，定予嚴辦直至死刑。

（五）嚴禁藥商出賣製造毒品之原料（　　），其現有存貨應即繳呈公安機關焚燬，違者懲處。

（六）散存於民間之烟土毒品，應繳呈當地人民政府指定機關。我人民政府為照顧種煙戶及存煙戶生活，可給以平均每兩三斤至四斤米之補償，并准其折繳一九四九年度公糧，或頂繳一九五〇年度公糧。

（七）吸食烟毒之人民，应限期登记（城市向公安局，乡村向人民政府登记），并定期戒除。隐不登记者，逾期而犹未戒除者，查出后予以惩罚。

（八）所有缴出或没收之烟土毒品，一律由各县市人民政府协同禁烟委员会及人民代表会议机关点清数目，当众全部焚毁，不准丝毫保存，不准变卖或作为财政收入，违者严惩。

（九）遇有持武装保护运贩烟毒或借土匪武装护运烟毒者，一经捕获，加重治罪。

（十）各轮船公司、汽车公司、木船公司之业主及员工，有协助政府查禁烟毒、检举毒犯之责任。倘有业主或员工利用其职业便利，运行或帮助别人运行夹带运贩烟毒者，一经查获，定予严厉治罪。

（十一）各级人民政府卫生机关，应配制戒烟药品，及宣传戒烟戒毒药方。应以县为单位设置一处或多处戒烟所。

（十二）各级人民政府应协同人民团体，进行广泛的禁烟禁毒宣传。各县市人民代表会议应作专题讨论，作出切合於当地之决议，交由禁烟禁毒委员会施行。

（十三）各级人民政府应设立禁烟禁毒委员会。该会由民政、公安部门及各人民团体派员组成，民政部门负组织之责。亦得由各界人民代表会议选举组成之。

附：中央人民政府政务院关於严禁鸦片烟毒的通令
（一九五〇年二月廿四日）

抄報紙

來自	貴州	抄往	鄧	等級	AA	原號	秘184	編號	409
內容摘要	关于土匪特的破坏办法及我之对策经验								

各地委并报西南局：

现将镇宁县公安局八月一日的报告摘报如下：

甲、目前匪特对我們破坏的几种办法

一、匪特有計划的掌握现有农會组织新农會並提出七大要求三大負担和我們进行合法斗爭。

七大要求：

1、参加农會不納公粮。

2、要求政府救济或貸款。

3、要求向群众借粮。

4、要求政府發给槍弹或將已收缴的匪槍發给农會打土匪。

5、要求替政府收税查大烟。

6、以农會代表或农會主任的身份寫呈文証明某地主確实困难要求減免應征粮額。

7、以农會負責人身份証明某匪確係好人要

40

抄者 馬　　校對者 周　　頁

各地并地委：兹将贵州八月九日的电报转发你们参考。各地农协的组织和领导问题，务望引起严重的注意和警惕，各方面的材料证明，凡已建立的农协，问题还不少，必须加以适当的整理，才能把反匪减租反霸的任务做好，而整理的问题则在于首先把领导成份弄清楚。至于民兵在目前是不应该建立的，望各地注意。西南局八月廿四日

西康区党委

中央电已复，经我们再加考虑（有重复说明必要），我们的理解为了不致影响到少数民族，在民族杂居地区也不宜急于去搞减租退押运动，这是正确的。同意你们用当地专署或县政府（不必用省政府）名义发布一个文告，最好还是同时召集各族各界人民代表会议加以说明更为有效。在公布时，一般只说明在少数民族中不实行减租及退押，因为少数民族的改革，只能由少数民族自己去决定，同时也应说明在民族杂居地区，只在汉人中实行，凡涉及少数民族人民的，一般不应实行，只有在少数民族人民要求实行时（这往往是对少数民族有利的）

相对地在经过专署以上政府批准的条件下有领导地加以实行。如果在这种地区实行时，有某一家少数民族坚不愿实行时也可不予实行。我们不应一般地宣传杂居区域不实行，因为在杂居区域的汉人都是迟早要实行的，我们暂时不在那里实行也是对的，但这只是步骤上的问题。

西南局九月五日

抄報紙

來自	川西	抄往	邓	等級	3 A	原號	豫157	編號	4112

內容摘要　集訓人民自衛武裝骨幹簡報

西南軍區並各分區各師：

~~關於集訓人民自衛武裝幹簡報~~（骨）：

（一）我區人民自衛武裝一般是在剿匪徵糧與羣衆悟覺程度尚未達到應有提高思想發動不夠情況下建立起來的加之匪特地霸混入潛中進行破壞活動故雖經清洗整頓但其成份仍爲不純爲有力支持今冬明春四大任務確實掌握人民武裝達到成份純潔與鞏固全區（除欠茂洲分區）羣武骨幹進行了一次普遍性的分期集訓均於十月中旬先後開始以縣或數縣爲基點抽訓鄉保自衛班分中隊長及一部積極份子集訓每期時間五至十天不等針對着自衛隊員思想上較普遍存在的怕當兵怕違（充）調怕匪霸怕蔣美等顧慮進行了重點教育其內容着重爲：

（手批：）各省区党委及军区，分报中央军委。

兹将川西军区关于人民武装的报告转发给你们，这些经验是值得各地重视和采取的，[illegible]……并将你们的经验告诉我们。西南局及军区 十一月廿九日

抄者　　校對者　　1　頁

抄報紙

126

來自	川西	抄往	邓	等級	4A	原號	秘84	編號	172
內容摘要	減租退押清匪反霸工作報告：								

西南局轉中央：

(一) 川西區冬季以減租~~退押~~為中心結合退押清匪反霸的四大工作準備是從西南局第三次會议後開始當时情況是干部少且弱,有经驗的骨干不多.对減租則盲目樂觀,对退押則因川西押金普遍且重,僅成都市押金即一億五千萬斤米,恐懼重犯老區土改挖底財錯誤,农民在秋收前雖已組織一百五十萬农會會員,但部份鄉以下組織尚不純,第一次就要担負淮海战役的任務,亦感困難,大股匪特武装雖已剿滅,但反动封建潛伏勢力依然强大,在減租退押斗爭中改变形式的反抗必加激烈,农民仍多顧慮,因此鼓動士氣,準備力量,並使運動有領導的有秩序的進行成為在举行冬季工作前必須先決的问題,我们依据西南局會議精神首先党内普召開冬季工

抄者　　校對者　　頁 44

主席并中央：兹将川西区党委十二月十日报告转上，请阅。川西报告更加证明退押是一个艰巨而复杂的斗争，必须很好掌握才能完成任务并使少出乱子。川西的经验是可以採取的。同时希望各地也作一个这样的报告，并[illegible]即[illegible]遵照中央规定每月作一次关於减租退押斗争的简报。 西南局 十二月十二日

1

少奇同志并中央：　25 转送 李

经过十二月和一月的工作，我们作了两件事情，即结束了对国民党正规军的战争和各城市的接收工作。同时也出现了一系列的新的问题，即：(一)城市的管理问题、(二)农村的工作和战勤问题、(三)九十万起义投诚的国民党军的改造和处理问题，(四)以及有关统一战线和团结大多数问题。这些问题必须予以明确的解决，才能组织内部力量，统一内部思想，以迎接正在展开的较之第一阶段艰巨百倍的斗争。因此，我们于二月六日起到十日止开了一次中央局委员会议、负责同志及各区负责同志（除云南）的到会。在会议上我作了一个报告，这个报告经过大家讨论之后，又根据大家的意见已作

2

了修改，把它印发出去，作为下一阶段斗争的方针，并送上一份请予审查和指正。

这次会议一致批准了第一阶段中央局的工作，大家认为中央局的指导是正确的。为便于检查工作，我们将中央局各项指示文件印了一本小册子发给到会各同志，并~~送上一份请予审查和指正~~来一并送审。

当前西南的基本情况是：国民党匪特和封建阶级（包括地主恶霸和会土匪）正展开全面的反抗革命的斗争，其特点，与国内其他新区一样，一开始就~~表现为~~带着剧烈的武装斗争的性质，其形式是到处土匪暴起，有的地方已开始有会门活动，而且都表现出明显的政治性质。他们的口号，主要是抗缴公粮，提出“饿死不如战死”的口号，他们制造共产党抓丁收民枪打第三次世界大战，提出

3

"死在异乡不如死在本乡"的口号。提出"打北方人（或外乡人）不打本地人""打穿军衣戴帽花的不打穿便衣和不戴帽花（指起义投诚的国民党军）的"。他们的行动着重于破坏工厂、抢劫公粮、公盐，并提出"开仓济贫"的口号。这些口号也煽动了部分贫民参加。据现有材料，川东区约有三万人，川南区约有四万余人，川北川西西康贵州则均甚猖獗。由于土匪的猖獗，不但影响了公粮的征收，而且最严重地影响了城乡物资交流，这也为近日重庆成都等城市物价大涨的重要原因之一。所以剿匪已成为西南全面的中心任务，不剿灭土匪一切无从着手，这次会议特别强调了这个问题，会后又由军区作了具体的指示。现各军区正在布置，但因部

4

队刚才进入工作地区，情况尚不熟习，特别是由横下把我们转到游击战，只想你们有把握，我们尚感生疏，对于通过动员和组织工作，还要经过较长之时，才能见效。

各地土匪起来之快，固由于国民党在西南作了散出他各地负担周密的部署，同时也由于我们征粮的直接影响。过去国民党在四川的最高征粮数为一千二百万担，我们这次征收数为两千万担（卅余斤），如果加上国民党的苛捐什税，当然比我们还要重得多，但我们是一次和两次缴纳，而征收季节又嫌过迟，有许多地主的粮食已经卖了，现在要买粮来交，又出现贱卖贵买，当然也有些困难，特别是由于历来地主阶级的当权派是不纳粮的，即一般地主过去也只出得百分之廿的负担，现

而照今年四川收成来说也是拿得出来的。

其在需出百分之四十到五十，当然也要叫苦跳的。不过我们在征粮上也有不少毛病，例如我们各地差不多都采用了过去国民党的赋元办法，其好处是简便易行，其毛病是佃户不负担，故负担面很小。四川土地集中的程度远远超过江浙两湖其他，不少地方佃户占百分之七十，如照赋元为计，则百分之七十左右的负担落在地主阶级身上，在我们工作毫无基础，群众尚未发动和征粮任务繁重的条件下，当然也不易行通的。我们的同志，往往对于地主的叫嚣，是采取不闻不理的态度，对于地主特别是小地主的真实困难，也不予考虑和照顾，对过去又对国民党缴纳的负担，不予扣除，结果使负担超过了百分之五十以上。现在各地的情况是农民缴粮比较踊跃，地主或某些抗不缴纳，或采取观望态度，最好的地区只收到四十左右。而公粮又是必须完成的，若照

6

要產生嚴重的財政混亂，所以這次會議對此作了一些調整，主要是方式是把面走到百分之七十到八十，和坚决实行中央所定負担政策的負担比例，以之作為檢查政策是否正確、和是否合理的標準。只有在我們做好了以上的工作，反動派才會集中力量來去反对我們和我們的反对減租的惡霸份子計可施，我們也才可以在分化地主階級的策略基礎上，集於減租和完成征粮任務。

農村的另一重大問題是春耕已届，四川農田耕種之程由為全國冠，但是我們估計到征粮對於生產的影響，同時我們要從事減租任務，也很可能放鬆對於生產的注意和領導，所以這次會議提出的農村中心工作是"努力生產"，我們還準備發放一部分農貸，以使依據原有生產水平不使降低。

反霸的口號，我們考慮以暫時不提為

7

好，因为在策略上目前不宜普遍地去反霸，而应集中力量打击现在反抗我们的人，这样实际上也会打到主要的恶霸身上，但这迟了要比较好破而易于掌握些。对于地主阶级，这次征粮一部分小地主多了一点（即超过百分之四十），在策略上我们宜于分化地主阶级，不使紧紧团结起来反对我们，所以我们拟指示各地根据此次征粮表现，有系统地团结一批开明士绅，即地主阶级的左翼，吸收他们当代表，当协商委员，并吸收一些到政府部门中工作。同时应再次明白宣布今后的年公粮负担比例仍照中央规定标准不予变更，以稳定阶级关系和生产情绪。

就西南来说，工业方面因某些优势，除棉花外，日用品均可自给而有余，历年都是出超，条件是很好的，剩下的问题是我们能迅速地学会管理城市。而在西南难内容最棘

8

针的还是对付封建阶级，这个敌人的基础之厚，不容轻视，所以要切实注意广大的失业群（比其他各地更大）谋出路的问题，做到了这一步才能最后抽掉封建阶级的基础。因此，我们考虑西南宜于争取明冬及后年开始分配土地，西南土地甚为集中，分配土地时打击面小，较为易行。只要今冬明春大体完成清匪反霸阶段，明冬及后年在有工作基础地区划分配土地是可能的。

其他问题还很多，这个报告中不提了。

邓小平二月十八日

西南局秘書處抄報紙

抄往 邓	來自 西康	原號 秘230
	等級 AAA	編號 [illegible]
摘要	康定地委三個月來工作綜報	

西南局：

(一)康定地委三個月來工作綜合報告如下：

(1)去年康區會後各級集中力量進行徵糧工作且百分之八十九入倉較以往實際負擔額一般減輕百分之三〇到八〇一般反映負擔輕稱公道工作人員態度好土頭喇嘛上層人物尤其在政府任工作者均帶頭交糧起作用甚大群衆交糧熱烈情況爲歷年來所未有其中一一縣公糧已按百分之七〇撥交十八軍並正動員群衆磨麵整個徵糧經驗各縣正總結中康定稅收工作勝利完成十億多但在禁止販賣銀元後商人反映生意難做

(2)籌備召開各代會成立縣政府先後成立者有康瀘丹三縣在三月底前除[illegible]·稍·得·鄧·德·白·石七縣尚須在四月份與俄洛

各地并告西康：兹将康定地委工作情况报告转发你们，这个报告说明了在少数民族地区或民族杂居地区建立区域自治或联合政府的重要性，康定区由于建立了自治区人民政府，不但团结了藏族，而且各种工作都进行得比较顺利。这个经验在有少数民族杂居的地区必须加以重视。西南局 三月廿八日

抄者　　校者　　第　頁

電稿紙

發往			
等級		編號	

←云南省人民政府 并报政务院

五月四日电悉。

（一）经过各族人民代表会议选举了政府委员会的专区应否订为一级政权问题，据所考虑结果，认为这种专区似不宜订为一级，而与其他专区一样是省人民政府派出之指导机关。建立专区级政府委员会的目的，是在于团结各民族代表人物参预政事，便于中央及上级政令能在各族人民中顺利推行，又便于解决各族人民之间的问题，达到

电稿纸

发往			
等级		编号	

团结之目的。不把这种专区订为一级，也不致于妨害这种目的，反之，如果订为一级，增加政权层次，则有侵越省政府和代替县府职权，使上下隔离，降低行政效能之弊。

（二）专区各族人民代表会议的职权为听取和审议专员（代表专员公署）关于执行省政府各项政令状况的报告，讨论有关各民族间的团结问题和关于全专区性质的地方行政问题，选举专区人民政府委员会。这种代表会议

電稿紙

發往			
等級		編號	

订为一年一次即可，遇有重大问题则召集临时代表会议。专区的经常领导集中于专区人民政府委员会。

（三）专员副专员们由省政府任免（由省政府批准任命。）专区代表会议只选举委员会委员，专员副专员为该委员会之当然的主席副主席。这样才能与专区保有派出机关的行政体制相符合。调动人事也较灵便。但为了照顾民族团结，专员或副专员的人选，可尽可能地物色少数民族中

電　稿　紙

發往

等級　　　　編號

的适当人物充任。

（四）市区县区乡各级联合政府与其他地区一样，全称某某市区（或某县某区某乡）人民政府及人民政府委员会，不必加上各族二字。联合政府的实质表现在委员会委员及代表会议代表的名额是按照各族人口比例选派的，在政治上各民族是平等的。但在讲话中应多注意提醒这就是各族人民的联合政府。

（五）实行民族区域自治的县区乡，全称某县某族自治区人民政府，某县某

電稿紙

發往			
等級		編號	

区某族自治区人民政府，某县某区某乡某族自治区人民政府。一律简称某县（区乡）人民政府。

（六）上列各条连同云南省府五月四日电报一并呈报政务院，请予以审核批示，以便通令全西南各地一律遵行。在政务院未批复前，云南省府可依上列指示试行。

西南军政委员会 五月十四日

川南已变为开展地区 报中央

川南区委：你们已有十三个县和自贡市完成了百分之七十五以上的公粮任务，即将有四个县达到百分之七十五，即是说你们在长江北岸的各富庶县份除合江一县外都已获得较好成绩，同时在这些江北岸的基本地区中，股匪已被肃清。川南的公债任务业已超额完成。川南的税收情况虽相差为远，但较其他区域情况略好，已完成全年任务百分之廿六，五月份则完成了应完成数百分之七十八。这些说明川南这一时期的工作是有成绩的，已经开始摆脱被动的状态，在这样的基础上，你们提出在上述业已完成公粮百分之七十五以上的十八个县市，对各级工作同志，是完全必要的。你们所提的下半年（七月到十二月）之工作计划是对的，我们完全同意，同时提出下列各点请予注意：

（一）全西南公粮四十亿斤，现仅收到十七八亿斤，完全证明是有困难的，而尤以云南贵州为严重，但全区至少完成百分之七十五即卅亿斤才能勉强渡过财政难关。如要在全区完成百分之七十五，就必须在四川各区完成廿三亿斤即百分之七十七到八十才行，所以征粮工作仍不可丝毫忽略，即使在已完成百分之七十五的县份，也应以足够力量抓紧清理尾欠和调整负担，凡属贫苦农民无力缴纳者应予减免，凡属地富因负担过重而无力缴纳者应予酌情减少；凡属地富并未超过应负担量而确系一时难于缴纳者，应准其打借条，允许在秋收时补缴；凡属本应缴纳而又有能力缴纳者，应坚决催促按收；凡属坚决抗拒的恶霸地主，应由法庭依法惩办。在策略上，我们对于地主也要做得有情有理，但对于地主按政务院规定的负担内必须缴纳的，不能让步，以击破地主的抵赖风气，而利于各项政令之推行。对于干部的乱打乱捕行为，则应严加禁止。我估计根据应完成公粮百分之七十七到八十四（川东已规定必须完成百分之八十）的任务，又根据上述的调整步骤，确定任务专项指示下级执行。

(二)肃清土匪仍是川南的中心任务之一，在股匪业已清减的江北地区，亦不能丝毫忽视，应防止麻痹，因为土匪再起是可能的，其关键在于发动群众的程度和统一战线工作的好坏。你们将发动群众和清查散匪结合起来的方针是正确的，应特别重视组织群众防匪自卫和在农协的基础上有步骤有方法地收缴枪支的工作。在南岸匪情更为严重的，川南军区及十五军应进一步研究并拟南岸军区地定执行。

(三)七八两月的整风是为九十月间减租的直接准备，在减租阶段的工作上，应加清匪（或剿匪）两字，即清匪反霸减组，因为任何时候都要把肃清恶霸的任务提得非常明确。反霸在前一时期我们不提也是完全正确的，减租以前仍然不宜提出，但在减租阶段则必须提出。反霸问题很复杂，往往容易犯打击面过大、树敌过多的偏差，所以在训练干部时必须把反霸内容对象和方法弄得清清楚楚，避免紊乱。这个问题请各区加以研究提出意见（在七月上旬以前为好），以便由中央局发出统一的指示。

（9）调整工商业在各区已获成绩，在近日重庆第二次各界代表会议上所反映的主要是税收问题，而税收问题则是调整工商业的主要内容之一。按该问江糖业问题很多，又听说糖业问题主要出在借糖假少粮上面，这件事请予检查处理。各地对于调粮工商业问题必须认真进行，在进行中有何困难和意见，望多多提出。

（三）整编复员工作务必抓紧，以军区为中心进行。为使军队集中力量剿匪和进行复员，军委拟改已规定军队粮服一律由统收进行。

西南局 六月十七日

发 邓

已印发各负责人与饶李抗同部门阅。

二 號

轉發地縣

公元一九五一年六月拾八日發出

市報字074號

公元一九五一年六月拾四日收到

公元一九五一年六月拾八日發出

關於吸收黨外人士處理反革命案犯的報告

（抄鄧、張、宋、李、傳）

重慶市委會

一九五一年六月十三日

各省區党委并轉：

重慶市吸收党外人士處理反革命案犯的經驗很好，特轉給你們，望督促各地仿行。

西南局 六月十七日

公元一九五一年六月拾八日發出

云南省委：

一月廿四日电悉，关于你区应否在各小城市的工商界进行五反运动问题，经过我们反覆的考虑，认为在原则上应在一切大中小城市无例外地开展这个运动，因为这个运动的本质是对资产阶级两三年来对我党疯狂进攻的一个猛烈反击，是迫使资产阶级伏伏贴贴地在国家经济的领导下去经营工商业，遵守共同纲领，不敢再行胡作非为，同时也

第3頁共　頁

摘要

予以县工商界的五反运动，进行里外夹攻，搞清内部的贪污分子。此外，这个运动本身还要对各民主党派各阶层知识分子起到思想改造的伟大作用。根据我们了解的情况，资产阶级的进攻，不仅在大中城市，而且在小城市也是疯狂的，我们各级干部对此都是警惕不够的，不把资产阶级的丑恶方面如投机倒把，行贿引诱国家工作人员，偷税漏税，偷工减料，窃取国家经济情报等事实暴露出来，就不可能使我们一些共产党员大吃一惊的头脑

第　　頁共　　頁

清理过来，同时没有工商界的五反，就很难把内部的大贪污犯搞出来。所以，我们在任何地方都不应该丢失这个机会，而应聚精会神的进行这个斗争。在斗争中，尽量地，我们应该对于大多数犯法的工商界先采取从宽处置的政策，从而争取其中的绝大多数继续跟我们一道，去反对最坏的少数的奸商，只要这样做，只要我们把打击目标缩小到少量的最坏的奸

第　　頁共　　頁

商（北京经一千家，重庆合并后不过一千家，一个小城市可能只有几家），就不至于影响到城乡交流和人民生活，同时我们应该发展一批国营商店和合作社去代替那些最坏的奸商，即使某些地方暂时受些影响（很快可以恢復），也不可因噎废食，而不去进行这运动。~~这是恳请你们再加考虑~~。至於你们防止可能的混乱，採取慎重的态度，是很对的，特别是云南主观

第　　頁共　　頁

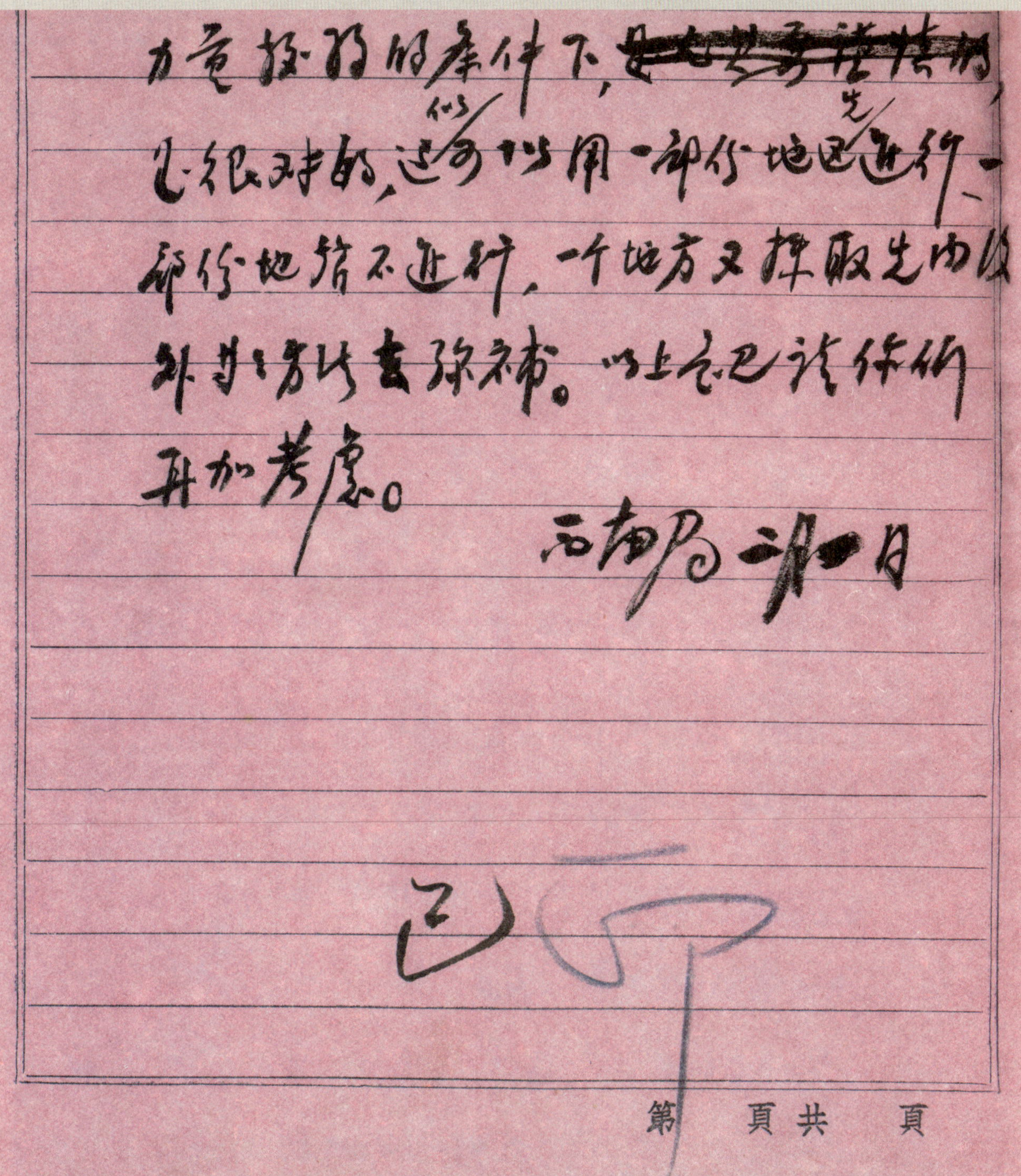

力量较弱的条件下，也很难的，这可以用一部份地区先进行一部份地区暂不进行，一个地方又采取先内后外某些办法去弥补。以上意见请你们再加考虑。

西南局 廿一日

邓

第　页共　页

1

张、邓

中央并报毛主席：

我们于六月九日到十四日召开了西南局委员会第九次会议，有各省区党委负责同志及财委系列主任、商业厅长、银行行长参加。这次会议主要是讨论经济工作和三反后的建设工作，并根据中央局第七次会议所确定的一九五二年工作计划排列了下半年的工作日程。会议前曾听了刘岱峰同志关于中财委会议的传达报告并作了讨论。

（一）五反以来，市场的暂时停滞现象是严重的，以二三两个月为最坏，四月下半月开始恢复，但进步甚微，五月下半月开始好转，但仍未恢复正常。总的状况是小城市恢复得好，大中城市则进展迟缓。以重庆为例，六月上旬的交易额只相当于去年十二月平均每旬的百分之六十；恢复得最好的是成都，六月上旬的交易额已达十二月平均每旬的百分之一百零九，但公营比重加大，私营只恢复百分之六七十。这种状况反映到税收上是：第一季度虽已完成我们的调整数（七千二百亿），但只达到中央核

2 元数（八千七百亿）的百分之七十（全年估数可以完成），今年上半年估计只能收到一万六七千亿，只能达到全年税收（四万五千亿）的百分之卅六七。税收状况也是小城市好，大中城市差。所以恢复经济生活的问题在大中城市，尤在于使工商业大户（约五千户）动起来。故须从下面几方面来研究和解决问题：

甲、迅速而正确的结束五反。西南进行五反的城镇约三百五，都是在严格控制下进行的，发展正常，一般地符合中央政策，在运动中都曾发生一些偏差，但获得了及时的纠正。这三百五大都业已结束，有些大中城市还剩有几十户百余户，或因三反牵扯，或因案情複杂，尚未结案，只要按照政務院指示执行，也易於处理，故我们决定所有城市，一律须於七月上半月内正式宣佈结束五反（重庆已宣佈基本结束）。五反三反退赃，西南局前已电呈的控制数为一万七千亿（五反一万，三反七千），现已收到三反四千七八百亿（包括现金实物），五反一千五六百亿，近于控制数字，我们认为是恰当的，这次会议又为了利於恢复经济，放宽一些

3

尺度，在一万七千亿中划出两千亿（约百分之十二）为机动数，各城市可根据情况，酌情确定一些。五反交赃时间，过现金部分，我们九月间收交，我们十二月间收交，均照资本家日期，但必须于明年二月交齐；其他各部分，除个别特殊者外，均须于明年年底交齐。最近各城市对退赃所得税，均有不同程度的呼喊，我们已决定凡属确有困难者，均应仿照此办法，将已收五反退赃款一部转为所得税，免得已退者做，反映甚好。我们觉得对待资产阶级既不能太严，又不能太宽。太严会大大影响经济生活，太宽则会减弱五反的严肃性，对政治上亦不利，且将刺激资产阶级重犯五毒（各种形式的反攻已开始出现）。所以在处理五反问题（包括定案退赃）要不严不宽，在税收上面要严（坚持照税章办事），在加工订货上则放宽某些条件，其他上面则应宽些。

乙、正确调整在五反后出现的新的公私关系。在这方面目前主要是防左。在加工订货上，要按照计标，

4 过苛，工缴过低，把持过严的毛病（工人对此也有反感）。在银行贷款押汇上，条件太紧，不能配合当前恢复经济生产的任务，这在西南是较普遍的毛病，如重庆，重庆市长曾作放宽贷款尺度，反映很好，但都耽心银行不能坚持，值得注意。在贸易工作上，中财委规定的批发零售额比重（即目前少数几种不能超过百分之廿）在西南是适当的，根据此比例，西南供销合作社仍须坚持按照计划发展，但某些行业（如百货）因其比重过大，暂时不宜再到扩大，有些则还须适当缩小，让出市场给私营经营业务是必要的。最近重庆在联营清算上规定了合理的批零比重，……前的差价，刺激了私商的积极性。此外，由于近来全国物价普遍降低，也引起了商人的普遍叫苦，感到生意不好做，怕大量进货，因此确定西南区在一个相当时间内，除个别必需调整者外，以保持现有牌价为有利。

而劳资关系也须调整。在工人中，一方面要主

5、纠正工人的极端性，监督资方再施毒害，并防止资本家的反攻；一方面要用说服的方法，教育工人遵守劳动纪律，团结和扶持资方按照生产和任务，对于那些不守劳动纪律和限制资方经营妨碍生产的左的倾向，应耐心地加以纠正。因工人监督生产除公私企业试行的个别厂矿店外，只限于防止偷窃转移资财外，试行范围暂不扩大，以利于争取资方投资。为了解决和稳定当前的劳资问题，成都市采取了五个工人以上的工厂商店普遍订立劳资合同，五人以下厂店普遍订立雇佣契约的办法，收效极好，各地均应仿行。在过去过程中，资方拖欠工资的现象极为普遍，应由资方照数补发；但一次补发确有困难，重庆市采取分期的办法，~~如果分期~~资方只要，这个办法各地可以采用。对于工人要求增加工资的要求，凡属合理而又可能者，应加支持，但必须由市委谨慎考虑，严格控制，一般说来，目前是不

6. 宜於通膨胀的。

丁、对於城乡内外交流，应该历和照顾性，主动地打通城乡特别是大区与大区省与省之间的原有的来往贸易关系，开好土产交流大会，银行贷款也应与交流大会配合起来。

戊、对於当前的经济困难状况，各地[illegible]克服困难，应好好研究，多想些办法，使波动小一些。西南失业工人现约八万，多因经济困难而失业，以建筑搬运工人为最多，如果我们把已经确定的基本建设和城市建设的计划，迅速订出并提早施工，就可以很快地解决这个问题，并可附带地解决了现有的半失业的廿[illegible]万城市贫民的问题。

己、西南军政机关人约卅万人，这些因为谋求生产自给，到处乱搞，发展了生产的盲目性，相当地影响了公私经济。今后必须把这卅万人（

7.

现已安置十余万人）的问题，列入各地财务计划之内，停止盲目性。这个办法要把这些安置到比较展远的生产事业中去，而且应以农业林业为主，不应投向城市去安插。会议规定每个省区订出今年内安置若干万左右人的安置计划（以中央计划的西南区若干万人的计划），迅速报来批准施行。

召开一系列的资本家会议、工人会议和四员（技术员、职员、收发员、放款员）会议，加以安顿，到

我们认为採取上述各项措施，力争七月份内完全恢复正常生活，是可能的。

（二）关于三反后的思想建设、组织建设和制度建设（特别是民主生活制度）及结束三反的定案处理工作，我们依据中央六月十五日关于争取胜利结束三反运动中的若干问题的指示精神进行讨论，（内容详告知的要点）我们完全同意中央这个指示（现書面指示已收到）并遵照执行。西南三反定案工作，一般是最慢的，现已定案的老虎约达百分之六十，力争七月份内处理完毕（本月底处理不完）。思想建设正在进行。

8

在下级同志们完全遵照中央指示，放手发动，不急不躁，掀到高潮，严格控制。这样做的，按各地报告，效果很好，既有教育作用，又发现不少新的材料。详情以后再作专题报告。在工作中暴露出的一些资产阶级的错误思想，主要是一些小资产阶级的思想，在运动中没有受到应有的批评。故在干部的小资产阶级知识分子中，个人主义自由主义和无组织无纪律现象，也有一定程度的发展。而这又主要是帝领导干部的资产阶级作风和放松领导者作用有关，其典型例子是在今年五一节宣传部某些派发材料时，有些干部不听号召，结果抢取抓阄，打得翻脸，这就是个别的，但是严重的，所以在建设阶段还须注意纪律性的教育，适当地批判资产阶级思想。至于在一般工作人员中，因为曾对领导上提过意见，存有怕领导上报复的心理，故在方式上应着重说服检查方面教育诱导，禁止另一个批判小资产阶级思想运动打阶级，因为对小资产阶级界想的改造，是一个长期的教育过程，不能采取简单粗暴方式的。

（三）关于工业交通的五年建设计划，我们完全同意会议所提西南区的任务。这个任务非常繁重，为了保证其实现，中央有关各部及西南党必须认真地把工作重心转向工业转向城市，同时会议决定抽调卅个地委书记一百卅个县委书记，转入工业交通部门，大量干部到基本建设和现有厂矿中工作。

（四）关于下半年的工作部署，会议作了如下的规定：

甲、在三反的基础上，于七八两个月完成整党和其他中层的工作，这是部队的。思想、八条教育，有的做了，有的还没有做，也没有做好，可在结束整党之后，以一个时间去补课，以免把整党时间拖得太长，妨碍了建党工作。

乙、建党是西南党的工作的主要任务，必须按照中央指示，在明年六月以前完成发展三万党员的任务，这次会议并作了具体的计划。

丙、对于工矿企业的民主改革，我们规定凡是进行了三反的国营企业和进行了五反的私营企业，就应实行民主改革运动的结束，这样才好使我们的工作同志能及时地把注意力放到生产上面。

丁、学校改革照原订计划进行，已进行的十二个大专

10 学校，暑假前结束，其余十校均在下学期开学后进行。中等学校，一律采用川北办法，在今年暑假期间用集训教师的方法解决。对小学教师则采用川南办法，用召集代表会议的方法解决。如此，学校改革的任务，今年内即可以大体完成。

戊、禁毒运动确定暂时不动，但西南各地要在七月底作好准备，订好计划送到西南局审查，然后再看情况规定发动时间和具体政策。在方法上，力求十天左右解决问题，以免波动太长，影响工商业。

己、乡村建政和干部集训（即三反），一律推到秋收后进行，以免影响农业生产。查田评产工作，已有三分之一地区（即进行土改较早的地区）做了，其尚未做的地区，也应在秋收后进行。

（四）以上就是这次会议的内容，是否妥当，请中央审查批示。

西南局 六月廿日

上海市委并告华东局：

九月廿日电悉。同意你们所拟关於第二届四届各界人民代表会议的计划。潘汉年同志的报告修稿可由华东局审查，不必送来中央。

中央 九月廿七日

各中央局、分局并转各省市区党委：

中财委基建组转来轻工业部党组十月八日关于华北区造纸工业交流先进经验大会的报告很好，特转发各地参考，并可在党刊上登载。

中央 十月十三日

各中央局、分局，各省市区党委：

兹将中央教育部党组八月廿三日的"六七月份综合报告"，八月廿日"关于中小学教育行政会议的报告"，八月廿四日"关于接办私立中小学问题的报告"，八月廿五日"关于实施小学五年一贯制问题的报告"，转发你们。中央同意这四个报告有关大中小学和扫盲运动的方针和计划，望各地党委及宣传部仔细研究，指导和监督下级党委和政府文教部门贯彻执行。从报告中，特别是从初步拟定的教育建设五年计划要点中，可以看到今后党委领导文化教育方面的任务之繁重，在第一个五年计划中，国家开支的教育（不包括文化卫生）经费，将达三十余万亿元。这样大的计划，花这样多的钱，如果没有党的严格监督，如果没有一个比较健全的能够负责实行计划的政府文教机构，那将是毫无保证的。因此各地党委必须重视这个问题，应在抽调经济工作干部同时，把党的宣传部门和政府文教部门加以健全，使宣教部门和经济部门一样能够从实际情况，编定精确的计划，控制计划的进度和保证计划的完成。国家的教育建设计划是与国家的经济建设计划密切配合的，如果教育计划不能毕确地完成，必将大大影响国家经济建设。而我们现在的宣教机构是很难担负这样的重大任务的，所以立即注意加强宣教部门，是很重要的。

中央 十月十七日

19 . . .

各中央局分局并转各省市区党委：

中央批准中央商业部和对外贸易部党组十月八日关于大区贸易部长会议的专题报告及十月十六日中财委对此报告的意见。并转发各地，望据以加强对于贸易工作的指导和帮助。

中央 十月廿六日

西南局：

十月十六日电悉。同意你们十一月底或十二月初召开军政委员会第四次全体会议及所拟的会议内容。此次会议请贺龙同志主持。

中央 十月廿三日

各中央局、分局，并转各省市区党委，并告中财委党组、中政委党组及内务部党组：

谢觉哉同志关于边远及贫瘠山区人民生活情况的报告是很重要的，兹转给你们，请你们在工作中，随时注意这个问题，因为这种地区，只有在党和人民政府长期关怀和扶持之下，才能逐渐地脱离贫困的境地。谢觉哉同志提出的几项办法，可供你们参考。

中央　一月十七日

各中央局分局并转各省市区党委，中央人民政府各委各部党组：

全国地质人员会议开得很好，兹将地质部党小组三月六日的报告转给你们一阅。

中央 三月十日

西北局：

三月十九日电悉。选举法的规定不可变更。青海等少数民族区域的选举委员会仍祇设主席一人，毋须加设副主席，但如有必要，可由一少数民族代表人物担任主席，而由一个较强的党员担任选举委员会的秘书长。

中央 三月廿二日

贺龙同志：

四月二日电悉。康藏公路究应走那条线，以比较好修和比较早到为原则。中央原批准走南线，全系根据西南的意见，照现状看来，既以走南线为好，此间同志都是同意的。

刘邓 四月六日

各中央局、分局并转各省市委：

中央人民政府政务院关于编造一九五〇年预算草案的指示，业经中央讨论通过，并已由政务院发给各地。这个指示可登党刊。

中央 一九四九年十一月廿日

上海局、华南分局、香港市委并告商业部、合作总社党组：

曹山同志三月卅日报告很好，现转给你们参考。同时，望商业部和合作总社党组将南昌鸿泰百货店的经验下达，并慎重地做放试验。

中央 一九五三年六月三日

拟稿人　　一九五　年　月　日

上海局、各分局、各省市委，中央各部委，国务院各部委党组，中央编制工资委员会：

中央同意"北京市委关于厂矿、企业精简编制问题的请示报告"。中央认为北京市提出的增加班次，组织轮班学习，以便使国家调配的办法，是目前处理厂矿企业多余职工的一个比较妥善的办法，望各地、各部门立即做试行。同时中央认为这个办法，对于某些国家工作机关也是可行的，各地、各部门亦可根据这个原则加以试行。中央特别责成中央编制工资委员会在进行中央机关精编工作中，选择一两点试办，以便吸取经验。

拟稿人　　一九五　年　月　日

中央　一九五五年五月八日

發 第八十號　　[illegible]

快

各省市委、自治区党委，西藏工委，中直党委，国家机关党委，人民解放军总政治部：

关於党的八次大会问题，现通知如下。

(一)八次大会定於九月十五日開幕。

(二)现决定於九月一日到九月十四日，举行八次大会的预备会议。

(三)请你们通知各代表務於八月卅一日以前到達北京，向中央辦公廳报到。

(四)中央决定各地区和各单位所选出的候补代表，一律列席八次大会，请通知他们同时到達北京。

中央

一九五六年八月十五日

林、周、陈、邓、杨成武、萧 三.八.

印〇发〇一机 十三部

各省市、自治区党委：

中央批准中国人民解放军总政治部关于"军队参加社会主义建设工作纲要"和"关于军队在地方党委统一领导下积极地参加民兵工作的指示"两个文件。这两个文件除已由总政治部下达全军外，现将发给你们参照实行。

中央 一九五九年三月十三日

吉林省委并告各省、市、自治区党委：

吉林省委四月二日关于部署"三反"的请示报告阅悉，中央同意省委的意见，在省的负责干部会议之后，首先集中力量抓春耕生产，而将农村人民公社的"三反"运动，推迟到春耕之后或挂锄期间去进行。中央认为吉林省委的意见是值得重视的，今年在全国各省区争取一个很好的丰收，是十分重要的事情，其他各项工作都应注意到不要妨碍农业生产。因此，请各省、市、自治区党委都象吉林省委那样，切实考虑一下到农村"三反"运动的时间，力求把这个运动放在农

（为了使下部能够集中精力领导生产）忙的间隙去进行。如果目前春耕太忙，可以把运动推迟到农忙之后或者秋收之后去进行，而在这几个月则只进行典型试验，积累经验。（果）如有些地方已在进行三反，而又注意到并不妨碍生产或反而有利于生产的促进者，亦可以由你们决定，照样进行。中央关于"三反"的指示也暂不发出。

吉林省委的报告附发给你们，请将你们考虑的结果报告中央。

中央 一九六〇年四月十一日

释 文

书信

致中共中央华东局诸同志信（节录）*

（一九四九年七月十九日）

(1) 帝国主义的各种花样直到封锁，其目的在于迫我就范。我们的斗争也在于迫使帝国主义就范。我们绝不会就帝国主义之范，而一个多月的经验看出帝国主义就我之范亦非易事。这一时期双方斗争实际上都是试探的性质，直到英美摊出封锁的牌。封锁，在目前说来，虽增加我们不少困难，但对我仍属有利；因为即使不封锁，我们许多困难也是不能解决的。但封锁太久了，对我则是极不利的。打破封锁之道，毛主席强调从军事上迅速占领两广云贵川康青宁诸省，尽量求得早日占领沿海各岛及台湾。同时我们提出的：外交政策的一面倒，愈早表现于行动则对我愈有利（毛主席说：这样是主动的倒，免得将来被动的倒）。内部政策强调认真的从自力更生打算，不但叫，而且认真着手做（毛主席说更主要的从长远的新民主主义建设着眼来提出这个问题）。毛主席说这两条很好，与中央精神一致。我们这样做，即占领全国、一面倒和自力更生，不但可以立于坚固的基础之上，而且才有可能迫使帝国主义就我之范。

*这封信的节录已收入《邓小平文选》第一卷，并对文字、标点作了少量订正，题为《打破帝国主义之道》。

致陈修和信

（一九四九年八月十七日）

修和兄赐鉴：

面托物色兵工技术人材事，谅蒙办妥，兹派陈志坚同志来沪办理此事，请赐接洽，关于安家费用等项，亦请商同处理。费神之处，容候面谢。顺此谨致

敬礼！

弟　邓小平上
八月十七日
于南京

致侯方岳信

（一九四九年十一月二十八日）

方岳同志：

廿七日函悉，你此次行车受伤，此间同志均甚关怀，望好好休养，如沅陵医治不便，可商同当地负责同志设法转去长沙治疗，并持此函请湖南省委予你以帮助。你的工作问题，或回云南，或留西南局，或到川省某区，均请于伤愈后到西南局面谈决定。刻湘黔公路线，川湘公路线土匪很多，少数人行走极困难，如你能在一礼拜内痊愈，可随后勤司令部副政委穰明德同志(刻在常德)同来，如须较久治疗，则须返回汉口办事处而后经宜昌巴东到重庆(或经公路，或船运)。你如有困难，可函常德二野后勤办事处穰副政委解决，我们已通知他留意。我们明后日即继续西进，一切俟见面时详谈。祝你

早日健康！

邓小平　刘伯承
十一月廿八日
于泸溪

致刘岱峰信

（一九五〇年六月七日）

岱峰：

调整工商业问题，重庆已略有眉目，望将注意力转向其他重要城市，务求解决问题。川南问题是严重的，应作专门研究，并将解决办法告各地参考。

邓
六.七

致孙志远信

（一九五〇年十一月三日）

志远同志：

中央所颁“人民法庭组织细则”，眉目十分清楚，司法部所拟条例，除个别具体问题外，并没有其他新的问题，故无另发一条例之必要。

过去川西行署曾写有一条例，我们也已告他们不发，个别具体问题改用“指示”规定。

下面深感文件太多的痛苦，我们应加注意。

邓
十一.三

致张际春信

（一九五一年五月十四日）

际春阅转王老：

对云南复电我重写过，请你们再次研究一下，如同意，请交胡光同志将云南来电及复电复写数份送熊刘副主席民政部，文教财经民族各委主任研究，并提到礼拜六例会讨论通过。

邓
五月十四日

致钦岳、胡光信

（一九五一年五月二十九日）

钦岳、胡光同志：

鉴于多次经验，各个会议都出专刊，往往流于形式主义，实际上看的人很少，花费很多，而且现在各种专业会议很多，专刊如多，下面同志必感头痛，所以我不主张司法会议出专刊。请你们与司法部一商。

我的报告因无时间改，请退司法部存案即可，不必登载。

敬礼！

邓小平
五.廿九

致孙志远信

（一九五二年四月十七日）

志远同志：

(一)请以我的名义复张副主席，报告一下成渝七一可正式全线通车，天成路下半年开始兴筑，川滇线川黔线正在勘测……近日天雨，春旱已过，小春收成约相当于去年。何北衡先生意见，已转有关研究采纳，最后祝他健康。

(二)将何的意见分抄农林水利财委参考。

邓
四.十七

致李维汉信

（一九五三年三月二日）

维汉同志：

今年“五一”前后太忙，以一律不组织少数民族参观团来京为好。但应考虑“十一”可来一些，对此，请民委预为计划，早点通知各地，以免难于应付。如何？请考虑。

邓小平
三月二日

致毛泽东、刘少奇等信

（一九五三年六月十五日）

主席、刘、周、饶、高、习阅。阅后退李维汉同志。

我认为牙含章同志来京，对解决西藏问题是有好处的，此点请主席批示，由维汉同志办理。

邓小平
六月十五日

致刘少奇、朱德等信

（一九五三年十一月十一日）

刘、朱、陈、高：

这是交通部的一套文件，是在七月底中央会议上原则批准了的。此后，全国交通会议作了报告和讨论，文件也作了一些小的修改。我都看了一遍，各项文件都没有原则上的改动，所改的都比原来的好，故可予以批准。如大家无时间，只看前面的说明即可，如再无时间(一)(三)(四)(五)四件不看也可以。

但(一)中共中央关于批转中央人民政府交通部党组五个文件的指示(二)政务院关于加强地方交通工作的指示两件，则须请详加审阅批示。

这些文件下面催要，请速审批后退我办理。

所有文件，都与中央讨论时无原则上的改动，似不须送主席审批(太多了)，此点请少奇同志酌定。

邓小平
十一月十一日

致孙志远信

（一九五三年十一月二十日）

志远同志：

这几个材料退你。

准备在明年一月下半月开始，在报上连载一些城乡基层选举的典型材料，因为全国多数将在明年二三两月进举〔行〕基层选举。过早登载这类材料，作用不大。

为了准备明年一二三月刊登的需要，选委办公厅还应多收集一些这样的材料。

邓小平

十一月廿日

致李维汉信

（一九五四年二月二十三日）

维汉同志：

（一）台湾工作仍请你主持。

（二）黄任老开的一个名单送上，对民建会内部问题仍请你解决。

（三）赵范问题可由统战部自己解决，文件一份送上。

以上这些事都可不急，等你身体好后再作。

邓小平

二月廿三日

致周恩来信

（一九五四年十二月十二日）

恩来同志：

十九日主席约谈名单(36人)，大会主席团名单(56人）两件，请审阅指示。主席团名单提下礼拜二的政治局会议。

发言人名单亦请审批，以便由徐冰接洽。

邓小平

十二月十二日

致杨尚昆信

（一九五五年三月十日）

尚昆同志：

文件退回。

(一)议程表请整理后送少奇同志审改并提明日政治局会议通过。

(二)列席名单亦请少奇同志看后提明日政治局会议通过。

(三)代表名单及编组名单可印发明日政治局会议各同志。

邓

三.十

致刘少奇信

（一九五五年八月二十六日）

我觉得政府的婚姻法委员会应该撤销。同时觉得贯彻婚姻法是一个经常工作，党内似也无设立专门委员会的必要。如何，请少奇同志批示后退陈毅办。

邓
八.廿六

致毛泽东信

（一九五五年九月十三日）

主席：

杜润生转来河北省的问题请予以指示。我觉得：(一)中中农这个名词不要再用。(二)从老中农的政治经济情况看来，只宜把其中生活贫困的一部分划入下中农。(三)不宜把老中农的大部分划入下中农。(四)最重要的是：不要一家一家地去确定谁是上中农或下中农，事实上第一二批加入合作社的一般只能是那些比较贫苦的部分(当然也有少数觉悟较高的上中农)，从对于愿否加入合作社的态度，就可以大体判明他是属于那一类的。以上只是一种不成熟的看法。

邓小平
九月十三日

致毛泽东信

（一九五五年九月十七日）

主席：

我拟了一个说明稿，不知能用否？特别是第一段，关于八大未能早开的解释，是应好好斟酌的。

这个说明最好能同召开八大决议草案，一块提政治局会议，所以请你早点审阅批示，以便再作修改。

这个草稿已分送书记处其他同志审阅。

邓小平
九月十七日

致毛泽东信

（一九五五年十月二十日）

主席：

我觉得这个指示稿可用，且宜早日发出。第三页末五行第四页头一行，即关于延安经验一段，我觉得不甚清楚，似可不要。

这个文件最好请你审批后再送中央其他同志阅发。如何，请核示。

邓小平
十月廿日

致杨尚昆信

（一九五九年四月二十七日）

尚昆同志：

定在后(廿九)日上午九时在居仁堂开会，只谈工业生产问题。

地方同志到十九人(富春拟的名单)，加北京一人共20人。

中央到书记处成员，另请总理参加，如陈云同志身体可以，也请他参加。

请告富春或一波先提出问题(不要长了)。

在通知中，请地方同志提问题。

邓
四.廿七夜

致毛泽东信

(一九七五年七月十三日)

主席：

“论十大关系”稿，已整理好，我看整理得比较成功，现连同原记录两份，以及乔木写的几点说明，一并送上。

我们在读改时，一致觉得这篇东西太重要了，对当前和以后，都有很大的针对性和理论指导意义，对国际(特别第三世界)的作用也大，所以，我们有这样的想法：希望早日定稿，定稿后即予公开发表，并作为全国学理论的重要文献。此点，请考虑。

向主席读这篇东西时，乔木需参加，因为有些地方要说明。何时读，请主席直接通知海容、小唐。

邓小平
七月十三日

致毛泽东信

(一九七五年九月二十九日)

主席：

陈丕显同志曾多次提出到北京治病，未予置理，最近上海市委安排他为市革委会副主任。我的意见，他还年青(不到六十)，也有能力，是否可以考虑：先调来北京，然后分配到那个省去工作。是否妥当，请示。

邓小平
九月廿九日

致毛泽东信

(一九七五年十月三十一日)

主席：

我有些事须向主席当面谈谈，并取得主席的指示和教诲。明(一日)下午或晚上都可以。如蒙许可，请随时通知。

邓小平
十月卅一日廿二时

致中共中央信（节录）

（一九七七年四月十日）

在伟大领袖毛主席逝世的时候，我曾向中央用书面表达我内心的悲痛和深切的悼念。我们必须世世代代地高举和捍卫这面光辉伟大的旗帜，我们必须世世代代地用准确的完整的毛泽东思想来指导我们全党全军和全国人民，把党和社会主义的事业，把国际共产主义运动的事业，胜利地推向前进。

致华国锋、叶剑英等信

（一九七七年九月六日）

华主席、叶、李、汪副主席：

送上两个材料(一)全国科技管理体制变化情况，(二)王庭若关于恢复国家科委的建议。

我同不少同志交换过意见，看来恢复国家科委势在必行。昨天又约方毅等同志谈了一次，已告他们写一报告，提出人选意见，拟提政治局会议讨论决定。

原拟在国务院设科教组的方案，拟取消。教育部将来由中宣部主管(大学科研由科学院统一规划)。

国防科研也由国家科委统一起来，特别是必须统一规划。

这两个材料供作考虑之用。

退

邓小平

九月六日

致华国锋、李先念信

（一九七八年十月十日）

华主席、先念同志：

工大祝词，我又考虑了一下，加改了两段，这是比较重要的改动，特专送请你们两人审阅。如同意，即将原件退我，再送志福同志批印。

因时间太紧，剑英、东兴同志就不送了。

邓小平

十日十七时

文电

来俄的志愿

（一九二六年）

我过去在西欧团体工作时，每每感觉到能力的不足，以致往往发生错误，因此我便早有来俄学习的决心，不过因为经济的困难使我不能如愿以偿。现在我来此了，我便要开始学习活动能力的工作。

我更感觉到而且大家都感觉到我对于共产主义的研究太粗浅。列宁说：“没有革命的理论，便没有革命的行动；要有革命的行动，才能证验出革命的理论”。由此，可知革命的理论于我们共产主义者所必须的。所以，我能留俄一天，我便要努力研究一天，务使自己对于共产主义有一个相当的认识。

我还觉得我们东方的青年，自由意志颇觉浓厚，而且思想行动亦很难系统化，这实于我们将来的工作大有防〔妨〕碍。所以，我来俄的志愿，尤其是要来受铁的纪律的训练，共产主义的洗礼，把我的思想行动都成为一贯的共产主义化。

我来莫的时候，便已打定主意更坚决的把我的身子交给我们的党，交给本阶级，从此以后，我愿意绝对的受党的训练，听党的指挥，始终为无产阶级的利益而争斗。

七军工作报告(节录)

（一九三一年四月二十九日）

二、七军的经过

一、由百色转变到隆安之役

一九二九年十月革命节日，以广西警备第四大队及东兰农民武装为基础转变成了第七军，转变后兴奋了右江的群众，百色平马的群众大会到的群众非常之多而热烈，红军本身的情绪非常之好，战斗力亦甚强，在隆安作战中充分表现出来。

惟当时前委没有将中心工作摆在发动群众深入土革上面而决定了打南宁的行动。当时前委的估量是：打南宁极有把握，桂系主力在前线没有开兵回来的可能，轻视了攻坚和敌人的力量。结果到隆安即与敌人接触，经过三天最激烈的作战，敌人的损伤虽比我们为大，我们的损伤亦不小，好几个很得力的干部亦于此役牺牲，加上作战的指挥太差，双方都成为各自为战的局面，结果是我们失败了，耗费了子弹不下五十万发。

我们对于此次行动指出了不但轻视了敌人，主要的还是忽视了发动右江群众深入土革巩固右江苏维埃政权的错误。当时右江群众情绪虽已开展起来，但过去并没有经过斗争，始终是暴发户，纯粹由红军弄起来的。如果不注意用正确路线来发动群众，群众的情绪是不能保持下去且易走上失败情绪去的。打下南宁固好，打不下，一失败下来则必给群众一个大的打击，同时当时作战完全没有运用群众的战术，单凭红军力量，深入白色区域去打硬战，处处受敌人（豪绅民团）的扰乱。如果当时作战不在隆安而在赤区的果化，很有消灭敌人三团的可能。我们更指出这次幸好在隆安失败，如果有一小的胜利，直追南宁，有全部或大部被敌人消灭的可能。

二、由隆安失败到向外游击时期

隆安失败后，完全放弃了右江沿岸，平马为敌占领，我军曾一度进攻平马，但无最后决心，故未成功，乃向东兰退去。此次攻平马没有决心是一错误，因为如果攻下了平马可以保持群众的情绪，事实上是可以攻下的，攻下后可以得了敌人不小的辎重。后敌人进至亭四与我接触，战甚烈，双方损失均不小，结果双方均同时撤退。这次军事上如果有最后决心，可以全部消灭敌军两团，因在作战中我较占优势也。亭四作战时我军士兵仍好，失败后则大不如前了。

亭四战后，前委即讨论行动问题，决定向外游击一时期，乃留第三纵队在东兰，右江工作，一二纵队向河池方向游击。本来是一步步发展的计划，后来变更了，一直经怀远到施恩，在施恩因不小心被敌人袭击受了一个小的挫折，后又向贵州之古州（贵州三大城市之一），结果攻下古州子弹得到相当补充，经济也得到相当解决，士兵情绪也比较提高。本来他们当时欲直出湘南，但因未与第三纵队联络好故又折回河池。

我们攻下古州消灭了敌军之大部（四五百），对敌军俘虏的官兵均非常之优待，对贵州军队有不少的影响，甚至不少中下级官长，对进攻红军问题表示动摇，这是我们从各方面得到的消息来证明的，后来王家烈之始终不愿与我们接触，这也是原因之一。

三、河池会议与回右江的决定

一二纵队回到河池时我已到东兰近一月，得消息后即赶到河池与他们会面，召集了一个党员大会报告中央指示。同时讨论到行动问题，认为：（一）当时湘南驻有重兵，不易通过。（二）右江群众自红军去后失败情绪非常之深，对红军表示不满。在发展巩固右江工作上，需要红军回右江一时期。（三）回右江可以发展第七军。（四）回到百色可以解决服装经济的问题。因此决定回右江一个短的时期，在这时期的主要工作是深入右江土革及发展改造红军，但总的方向还是迅速向外发展(此时是阴历五月初)。

四、回右江后的工作

回右江后即恢复了沿岸的城市和政权，在百色解决了敌军五六百武装。在百色仅十日，适滇军一师经百色到南宁攻桂，我军在力量上不能与敌人正面作战，故决定暂时退到平马，准备在平马运用群众战术扰乱他打击他的一部分。结果在果化作战有五日之久，敌人损失甚大，死团长一伤一，营长死二伤一，士兵死伤五六百。我军亦死伤官兵六十余人，但因军事技术上的缺点，没有能实现打击敌人之一部的计划，仅得到两万发子弹而已。算起来我们还是吃了亏，虽然滇军对我们再不敢轻视，攻南宁失败后再不敢与赤色区域为难。

作〔与〕滇军作战后即回师攻百色，因等大炮问题及被一个连长领导一营（当土匪）叛变问题牵延了一个时期。后百色加了兵（滇军）难攻下，故又改变不攻百色而平马、田州、思林、果化一带加紧工作，相当创造右江的基础，改造七军发展七军，并在经济上准备向中心区域发展的出发伙食费。

统计在右江约有三月半之久，没有一天停止武装行动，与豪匪武装的作战简直成了家常便饭。

至于在右江的群众工作，以后专门的讲。

五、向中心区域发展问题之讨论

回右江时即已决定在右江仅是短的时间，与滇军作战后又提到此问题，因为：（一）经济未解决。（二）秋收快到如果红军离开则农民的收获必全被豪绅抢去，必使农民发生反感，并且农民分得了地主反革命的土地，必定得到了秋收才能深刻的感到土地革命之意义。故当时决定“相当保护秋收”的原则，计时九月底可出发，结果实现了这个决定，定在十月一日出发，出发之前一日南方区代表邓拔奇同志赶到，故改在四日出发。

十月二日在平马开了一个前委会议，拔奇同志出发〔席〕报告六月十一政治局的决议，我们接受了这个路线，决定：（一）改变军队编制为三师，留廿一师在右江作为发展一军的基础，由韦拔群同志任师长，十九、二十两师（每师两团）出发。（二）因恐东兰士兵逃，同时与在桂黔边之第八军的一部联络，故大部由凌云转向河池。我及拔奇同志同到东兰布置右江工作及率原第三纵队出河池。（三）在河池集中全军举行全国苏维埃代表（拔奇）的阅兵礼以鼓士气，并开全体党员代表大会。

六、河池的全军党员代表大会（十月革命节日开的）

河池会议完全在接受立三路线之下开的，确定了第七军的任务是“打到柳州去”“打到桂林去”“打到广州去”三大口号，在此三大口号之下消灭两广军阀，阻止南方军阀不得有一兵一卒向以武汉为中心的首先胜利进攻，完成南方革命。执行此任务的红军战术是集中攻坚，沿途创造地方暴动，迅速打到柳州桂林，向北江发展。不过我们认为执行此路线不是先下柳州而是要先取得桂林，因为下桂林后才能与外面政治影响联系起来，同时估量到打柳州的困难也必须以桂林为中心向柳州推进才有可能。不过在庆远融县应创造相当基础，对柳州取一个包围的形势。

这次会议改选了前委，批评了过去的错误，并特别提出了敌军士兵运动的问题，组织了一个兵委，豪人同志为书记。

七、由河池出发到攻长安

由河池出发时经了一个鼓动士兵〔气〕颇好，到怀远与敌一个小小的接触即占领了怀远，敌人退到对河与我隔河相持。当时发生一个是否攻庆远的问题，有两个意见：一方面赞成以为在执行新的路线应攻庆远，且很可能；反对的意见认为庆远是敌人重镇敌必出死力守之，同时没有攻下的把握，如攻不小〔下〕，攻回甚难，并且我们到桂林有一条大江相阻，如不迅速渡过，敌一注意很难通过。后一意见，不但不赞成攻庆远，且不赞成攻融县，我及李明瑞同志是后一意见。结果通过了不攻庆远，攻否融县到天河再看情形决定。

到天河时讨论，始终以渡河问题决定不攻融而经三防，转视〔移〕敌人视线，还占长安渡河。次日忽得报告说融县有一小河可途涉到长安，故又临时决定到融县。行不四十里即在四把与敌接触，后面敌人退〔追〕来，前后作战，前胜后败，结果在天河附近与敌相持三日之久，最后乃决定脱离敌人，仍由三防到长安。沿途均有民团相扰，到三防因天雨休息数日即到长安，其时长安已有重兵住防了。敌人有两师，名义上六团，我们攻长安有五日之久，打得敌人胆寒，只有死守城内，白崇禧亲到指挥，斩断浮桥，背水死守，后得报告，敌人又加一师兵力，故决定撤退，退得非常之好，致敌不敢追出一步。长安作战的确建立了七军的威风，敌人称我军是全部的北伐老兵。但从实质上我们还是吃了亏。

关于今后进入新区的几点意见给中共中央和毛泽东的综合报告(节录)

(一九四八年八月二十四日)

根据一年新区工作的经验，提出今后进入新区的几点意见。

第一，关于出动前的准备。应包括思想、组织、政策、军事和经济等等方面的准备。我们南进时就是缺乏准备，所以吃了很大的亏。在思想上，农民远离家乡，北方人到南方，都是极大的问题。而到新区(南方)后，又确实［到］遇到许多困难，如吃大米，走山路，走小路，蚊虫多，水土不服，语言不通，打山地战等等，都会影响到干部战士的情绪。所以出征前要向干部战士明白说清楚，反复说明这是革不革命的问题，划清思想界限，反能巩固士气和信心。十纵就因为作了深入的动员，南进后部队一直是巩固的，情绪一直是好的。在组织上，要有足够数目的干部随军行动，这些干部都须经过任务、政策和作风的训练。在军事上，要有适合于山地战的组织和装备以及山地战术的训练。在经济上要使部队进入新区后不致马上发生供给困难，而破坏政策和纪律。而新区的各项主要政策，尤须在干部中施行教育。

第二，关于展开。进入新区之后，首先的议程是打胜仗，占地盘。两者分不开，但是有矛盾。要占地盘，不能不分散一部兵力乃至削弱一部主力，减少野战力量。但不占地盘就没有后方，就不能发展，就不能发动群众，就无法供应军需，就不能使敌分散，也就不好打仗，故分遣适当兵力，展开占地盘是非常重要的。中原曾不顾削弱主力兵团抽出很大兵力展开，建设军区分区和县干队，今天证明是成功的。对于展开，也应尽可能做到预有准备，大别山因无准备，花了近两个月时间才展开完毕，江汉、桐柏两区吸取了大别山的经验，预先配好分区地委专署及县级党政军的一套机构和部队，故十天半月就大体完成了展开的任务。今后到新区，最好事先区分野战军和军区，每个军区为一单位，配齐军区分区县等三级党政军机构（包括部队），组成临时支队，一路展开，收效必快。而展开的部队除由野战军抽拨一部外，如有可能，最好能从老区抽调一批地方武装和民兵充任，以免过于削弱野战力量。

第三，关于作战。这要看当时当地的敌情而定，但对在新区作战的困难应有足够的估计。在进入初期，特别要掌握住不打无把握之仗的原则，我军主力不可轻率作战，因为如果受挫，极易陷于被动，小则大批减员，大则被迫离开。最好采取宽大机动，寻歼弱敌，既可因胜利而巩固信心，又可逐渐熟习地形及其作战条件而使上下增加把握。一俟敌情地形熟习，军区及地方工作铺开，伤兵有地方放，再进行一些较大规模的歼灭战，比较稳当。但这不是说在初期有把握的大歼灭战也不打，更不是说要采取避战的方针，如果这样也会把士气弄得很坏，当然是错误的。特别在困难时候，尤应鼓励部队坚决作战，把敌人气焰压下去，才能巩固自己的士气，大别山九月间就有这个经验。作战的另一重要问题是分遣与集中的运用问题。我们区分野战与军区两套的办法，以野战军集中打大仗，以军区部队分遣占地盘，消灭地方反动武装和打小仗，这就解决了一个主要的分遣与集中的问题。敌人对我，在我大军压境时，采取放松一切次要城市据点，免被歼灭的办法，接着调集军队，其兵力大于我时，则实行围攻，无胜利把握时，则实行钉梢，使我无喘息余地，所以我野战军也要善于分遣集结(在山地就食也有时不能不分遣)，分遣以分散敌人，造成敌之弱点，而后适时集结歼其一部。其要点则在明了分遣是为的集中歼敌，故分遣时要计算到比较利于集中的条件。我们常常也可以主力监视敌人，而以一部出敌不易〔意〕，寻求良好战机，如襄樊作战即其一例。军区部队的运用，也有分遣集结问题，在展开时，我们多数地区是采取比较彻底的分散掩护地方工作的办法，而桐柏三分区则从两个团中分散小部掩护地方工作，集中一个多团积极歼击反动武装，结果胜利最多，士气民气最好，发展最大，这种方式比较妥善，即在初期应以集中力量消灭敌之军事力量为原则。到新区(山地)的装备特别是轻炮的预为准备和调剂，也属必要。

第四，关于供应。这是在新区首先接触的最大最重要的政策问题，在毫无工作基础的条件下供应大军，无论内战或抗战时期均无此种经验。在中原曾采用打土豪分浮财用粮食折菜金的办法，造成极大的浪费和混乱，证明不能再用。今后不打土豪，许多东西要拿钱买，例如没有布条打草鞋，没有废纸用作办公等等，开支势必浩大，如无妥善办法，不可避免的要形成混乱。必要的办法是：(1) 带一部分现洋，以半年为期，月以每人两元计算，可解决菜金、黄烟及草鞋。(2) 准备一种军用流通券，随军发行，随军兑换。其缺点是币价无法固定，小商人吃亏，好处是可以应急，在困难时不致过于混乱。发行办法则应作精密研究，票纸印刷避免粗糙。(3) 维持城市税收，照旧章程驻一天收一天税，同时适当的向商会筹款。(4) 乡村派款。(5) 粮食在不能实行合理负担以前采取征借办法，可以利用保甲征借。但保甲对我必取应付态度，故我应有比较健全的粮食机关随军工作。一俟局面打开，即应实行公粮制度。(6) 缴获粮款全部归公，可以解决一些问题。(7) 因此，随军的行政机构必须健全，可用战地行政委员会名称，全盘负责管理征借粮食，税收，筹款，接管城市，接收和处置缴获品，必要的没收，银行兑换所诸事宜，军队的供给部门亦归其辖管。战地行政委员会在纵队设分会，旅团设办事处。必须准备大批干部做这项工作，新区局面打开之后，这批干部即成为财经建设的骨干。

第五，关于社会政策。中央五月廿五日指示的原则，中原局六月六日指示规定的执行办法，及以开封为范例的城市政策，是合用的。只要我们不左，慢慢的来，就不会出大毛病，就既能团结大多数反对蒋美，又能减少军队的困难。在新区必须经过一个军事时期然后才能进入巩固时期（这是大体的划分）。在军事时期，我们的策略步骤，对群众主要是政治解放，解除其切身痛苦，对敌人是政治打击，必要的没收也只能是政治的没收，斗争对象集中于最反动的部分。此时期特别发挥政权的作用和加强宣传工作。政权随军的就是战地行政委员会，展开的就是各级临时的人民政府，一切事情用政权出面比由军队直接出面要好，我们到大别山时，人民对我们第一件要求是“安政治”，因为人民最怕紊乱，怕无政府，要求有秩序，“不搞滥”的本身，就是团结大多数的大政策。广泛使用一切宣传武器（宣传队，剧团，部队指战员的宣传，政府出布告，开大会，开座谈会，演讲会，画展等等），宣传我们的主张和政策，驳斥敌人的造谣和欺骗，可以占领思想阵地，安定民心，造成新区的新气象。可以广招来，扩大新兵，招收一些知识青年加入我们的队伍。可以初步的建立小型秘密的群众组织和吸收个别的秘密党员或建立秘密党的小组。我们在抗战初期就是这样做的，收效极大。我们在大别山没有这样做，吃亏很大。一俟军事局面打开，就大体上进入到巩固的阶段，工作重心即可放在实行合理负担及有步骤有准备的进行双减，建立税收制度，组织农协，建设党，广泛办训练班等项工作上面。

第六，关于武装。每到新区，务必以最大力量建立地方武装，这是我军扩大与补充的可靠来源，也是巩固占领区的重要力量。中原政策搞左了，但还能建立或扩大地方武装十二万人左右，如不搞左，数目必更大。但在建立时应不惜本钱抽调干部及若干部队以作骨干。民兵在群众未发动以前，则不宜建立。此外部队到新区，一定有一批无衣无食的失业贫民要参加军队，故应强调个别扩军的工作，多年以来，我们对这个工作都很生疏了。

第七，关于干部。新区所需干部数目极大，中原现有干部计华北一万一千，华东六千，军队抽出者万余，共约近三万，不过这批干部以村级为最多，质量不算高，如全用现职区以上干部当可大大减少。同时我们总感到干部补充甚不及时，影响工作甚巨，特别是财经干部太少，更感苦恼。按中原区需用干部的标准，如在江南开辟一万万人口的区域，所需合格干部当在三四万之间，应请中央予为准备。同时蒋区干部学生大批回乡，等候大军进入，也是一个大来源。

以上只是提出我军进入新区的几个问题，作为参考。

邓小平
八月廿四日

关于渡江时间问题致宋时轮、郭化若等的复电

（一九四九年四月十八日）

宋郭并告谭二野三野：

(一)巧十五时电悉。你们提议哿(廿)夜与打黑沙洲同时全部渡江，对于这点只要有可能就可以这样做。总之，整个战役从廿(哿)晚开始后就一直打下去，能先过江就应该先过江，不必等齐，因为全长一千余里的战线上，完全等齐是不可能的，但你们仍应审慎考虑防止下面轻敌。

(二)军委已完全批准我们的计划，望号召全军努力完成之。

总前委
巧十九时

关于渡江情况给毛泽东的综合报告(节录)

（一九四九年五月十日）

毛主席：

三四两个月在极度紧张和忙乱中度过，二中全会后我们三月十八日才回到前方，其时中野各部刚过淮河，华野各部亦多在运动中，天雨路烂，困难甚多。但各部还能按预定计划于四月五日以前先后赶到江边指定位置，加紧渡江准备工作。到四月十日除东线八十两兵团外，西线之七九三等三个兵团已有充分准备，渡江把握较大。四五两兵团则略嫌仓卒，推迟五天渡江，对他们很有好处。廿日廿一日两夜所有部队都按预定计划实现了渡江的作战任务。这是由于敌人抵抗甚弱，更主要的是由于我军在军事准备和政治动员诸方面均属充分。而江北各地党政和人民的努力支前，特别是皖北新区尽到了超过其本身能力的努力，尤属值得赞扬。我军渡江后，战局发展太快，敌人拼命溃逃，我军一面占领南京、芜湖、镇江、常州、无锡、苏州、杭州等数十城镇，一面追歼逃敌，阵势亦形紊乱，截至辰江为止，由常州迄湖

口沿江一线向南逃窜之敌均已被我基本上歼灭。已知俘掳十二三万人，京沪杭作战，即将完全胜利结束。苏南、皖南、赣东北三区党委及干部均已进入开始工作。浙江省委已随谭震林同志及七兵团到达杭州，但分配该省之干部尚需时日才能到达。一般说来，各地各县党政机构有的尚未到达有的才开始工作，皖南、苏南因敌我大军过境，秩序很乱，具体情况，各地尚无报告。

华东局对无锡接收工作的指示(节录)

（一九四九年五月十四日）

苏南区党委转无锡市委报中央：

管文蔚同志对无锡接收后十天(四月廿八日到五月八日)的工作报告很好，你们对该市公家财产的接收工作即届结束和清理阶段，所以你们的注意力即应把中心转到对于生产问题的处理。无锡是江南除上海外的最大工业城市，处理得好不好，对上海及其他城市均将发生很大的影响，而要把生产问题解决好，就必须根据毛主席指示从劳资，公私，城乡，内外等四面八方去考虑问题与妥善的解决问题。无锡的工资问题业已提出，工人和资方均希望能作最后决定，最后决定目前尚不可能，但作出适当的暂时的解决，甚为必要。否则厂方工人顾虑均大，很难复工生产。解决的方法，仍宜用双方和平协议政府加以仲裁的方式。一般采用原来的工资标准，力求迅速开工为原则。只宜对原来标准中个别极不合理急待改变而又比较容易改变者，加以适当的调整，切不可牵动太大太多，拖延时间太久，影响开工和生产，可以向双方说明迅速开工，于劳资双方均属有利，许多问题可在开工之后从长计议，以求合理解决，这样解释，是会为资方也会为工人所接受的。同时在规定工资标准时，还应照顾到公私企业大致相等，大工厂同小工厂的差额不要比过去增大，以免影响小工厂无法开业，与解决工资问题同时，对于恢复生产的各项困难，如燃料供应，原料来源和产品推销诸问题，应鼓历〔励〕资方多方设法解决，政府亦可在可能的范围内在公私兼顾的条件下予以协助(如煤炭供应)。你们已经注意到对于工人的组织和教育，这是很对的，但在教育中，要注意从工人阶级的根本利益上去说服工人懂得党的劳资两利的方针，防止可能产生的左的倾向。但你们对于劳资关系中一些不合理的东西，应开始着手研究，然后视条件许可的程度，在劳资双方的协议下，特别在生产发展的条件〈下〉，逐步的使之达到合理的解决。这里，你们还应使我们同志和工人了解：恢复和发展生产，没有自由资产阶级的积极性是办不到的，而资本家又是在有利可图的时候，才会有积极性的。我党在新民主主义阶段对私人资本主义是采取限制政策，这个限制政策是依各地各业及各个时期的具体情况而采取恰如其分的有伸缩性的限制政策，是既要在活动范围税收政策市场价格劳动条件诸方面加以限制，而又不把私人资本主义经济限制得太大太死的限制政策。这些原则在二中全会决议中已有明确规定，请你们注意研究，今天无锡的资本家正从多方面试探我们的态度，他们企图保持其原有的经济的和政治的地位，他们在长远的岁月里将要在各种形式下同我们进行阶级斗争，你们对此有所警惕是对的，但是你们切不可同他们的关系弄得很紧张，而应主动的同他们的代表人物接触，召开资本家的座谈会，详细解释我党公私兼顾劳资两利的工商业政策，用开诚坦率的态度，告诉他们抛弃反动分子，以利于我们同他们的合作。

西南局转发贵州省委对平坝县开好各界代表会议的报告

（一九五〇年二月十八日）

各地并报中央：

我们到西南后，各地普遍注意召开各界代表会议和农民代表会议，这是很好的，但是这些会议开得如何有何经验，则很少总结和报告。兹将贵州省委对平坝县各界代表会议的检查转发你们，望引起同样的注意。

西南局
丑巧

西南局转发川西区党委关于处理匪特结合封建势力进行破坏的经验

（一九五〇年二月二十八日）

各地并报中央：

川西新繁县的经验转发各地。根据其他地区的材料，也有同样的经验，即凡能开展统一战线团结了一些开明士绅的，都易于克服困难减少障碍。凡不重视统一战线而孤军作战的，都是一筹莫展困难重重，所以新繁的经验应引起各地特别的重视。

西南局
二月廿八日

西南局转发胡耀邦关于川北区人代会情况的报告

（一九五〇年四月十九日）

各地党委并中央：

这报〔个〕报告简明扼要，特转发各地参考。目前各地在统战中的关门主义倾向仍很严重，干部作风非常生硬，望注意从说服教育中予以纠正。

西南局
四月十九日

关于云南保障对外贸易四千吨锡一事致宋任穷电

（一九五〇年五月一日）

任穷同志：

云南保障对外贸易四千吨锡一事，有关国家信誉，中央非常关怀，请你亲自掌握用全力保障此任务之实现，并随时将情况向中财委及此间作报告。

邓小平
辰东

西南局转发云南省委禁止村级浪费的指示

（一九五〇年五月四日）

各地并报中央：

兹将云南省委关于禁止村级浪费的指示转发你们，望注意检查有无同类的现象。

西南局
五月四日

西南局及西南军区党委会关于干部整风的指示

（一九五〇年五月十二日）

中共中央西南局及西南军区党委会关于干部整风的指示

一九五〇五月十二日

（一）中央指出在干部中，存在着严重的官僚主义与命令主义，大大损害了党在群众中的信誉，使党的政策无法贯彻，使各项工作任务受到影响，因此，在全党面前提出了整风的任务。这个指示对于西南来说，尤属重要。我们进入西南后，进行了接管城市、征粮、收税、剿匪和改造几十万国民党军队的工作，任务确属复什而繁重，各地多数党委及多数干部在执行这些任务中，是非常努力的，工作是有成绩的，但是，在这些工作中，也暴露出严重的缺点，官僚主义和命令主义的作风，普遍地存在和发展着，从而产生了脱离群众的严重的危险。不少干部把完成工作任务与实行党的政策和国家法令对立起来，因而相当普遍地漠视政策和法令，一意孤立〔行〕，有的同志甚至根本不学习党的政策和政府法令，完全靠着自己意志和狭隘经验办事，许多在老区业已批判的错误，如乱捕乱打蛮干等恶劣风气，又在新区中重复起来，这不但发展了无政府无纪律的错误，而且大大地损害了党的信誉，并使各项工作任务难于完成。必须指出不少地区征粮任务不能顺利完成，匪特能够煽动群众暴动，其重要原因之一，是与我们一些干部的不讲政策、作风恶劣和脱离群众分不开的。在军队中，军阀主义的骄横倾向又在滋长。无论军队地方，特别在城市工作的一部分干部中，贪污腐化、闹改组（离婚），等等脱离战斗任务丧失前进精神的腐朽堕落倾向，也在发展。因此，根据中央指示，在西南全体干部中，开展整风运动，是异常迫切和需要的。

（二）西南因为解放不久，工作时间尚短，工作任务拥挤而繁难，干部骨干既少且弱，新的成份很多，公粮才征起不到百分之四十，税收才征起约百分之十，剿匪虽已见成效，但还需时日才能达到消灭股匪的目的，而领导农业生产的工作又不容丝毫放松，组织群众和今冬明春的减租运动又须准备，故抽调干部整风与照顾实际工作的矛盾，必须妥善解决，以免偏废。因此，各地整风必须与当前实际工作密切结合，从检查接管城市，剿匪，征粮，各界人民代表会议等项主要工作入手，展开批评和自我批评，审查执行政策是否正确，反省各人作风好坏，得出结论，作出鉴定，以达到使干部在政策水平和思想作风上提高一步的目的。整风的重点在于纠正官僚主义和命令主义，但对于正在滋长的蜕化思想和军队中的骄横倾向等等，亦须针对本身实际思想情况，加以纠正。整风的目的，在于提高觉悟，改正缺点，故不宜着重组织结论。只有对于个别品质很坏，错误严重，屡经批评毫不改正的干部，才应给以必要的处分。同时，对于那些正确执行政策，作风纯正，联系群众的干部，应予鼓历〔励〕，以资示范。

（三）西南参加地方工作的干部约计三万，有一年以上党籍的原地下党员数千（数目不详），这三万几千人，是地方工作的骨干，也是我们这次整风的对象。其中又以分委书记县委书记以上（军队是团以上）为主要对象。根据实际体验，一个区县有一个好的分委书记县委书记，有一个好的领导核心，就可使工作少出毛病，就能团结和教育党内外新老干部做好工作，树立起好的作风，所以首先弄通他们，是一切问题的关键。因此，建议各地第一步以省委区党委为单位，首先集中县委书记以上干部整风，然后依靠他们为骨干，去领导其余干部整风。第二步以地委或较强的县委书记为中心，集中分委书记以上干部整风，然后普及于其他干部。每次整风时间以少则十天多则廿天为度，以期不致太多耽误工作，并使大部分干部在夏秋两季（剩余一部在冬季）整风完毕，以便领导农村中的减租运动。对于在京沪地区及在西南各地吸收的青年知识分子，不应视为整风的主要对象，而应有计划的分别施行短期的轮训，但应尽量吸收他们参加整风学习和会议，使他们获得锻炼。

（四）在整风中，应阅读一定文件，作为启发思想、发扬批评和自我批评的武器。根据目前党内思想作风情况，拟定：(1) 史、毛论批评与自我批评；(2) 史、毛论与非党群众合作；(3) 少奇同志党章报告第四节论党的群众路线；(4) 毛主席在二中全会报告的第十条等文件，作为整风阅读的几个主要文件。此外，在检查工作中，必须随时注意引证或摘印有关政策的文件，以加深对于问题的了解，和引起干部对于上级决议指示和政府法令政策的重视。

（五）除整风外，各地应按本身情况，开办党校或短期训练班，有计划的经常的轮训干部。

（六）各地应根据中央和西南局指示，及本身工作任务与匪情定出整风和整训干部的计划，一面执行，一面报告我们。

（七）这个指示地方与军队均适用。

西南局转发贵州省委关于莫凤楼被匪特残害情况的报告

（一九五〇年五月二十二日）

各地并中央：

兹将贵州省委十七日报告转发你们。国民党匪特残杀我党负责干部及知名民主人士，为其阴谋破坏的主要手段之一，望各地引起严重注意，对于重要民主人士的保护与对于我们自己同志的保护一样重要，公安部门要与统战部门加以研究，列入自己的工作范围之内。

西南局
辰养

关于禁绝鸦片烟毒的实施办法

（西南军政委员会一九五〇年七月通过）

关于禁绝鸦片烟毒的实施办法

（西南军政委员会七月　日通过）

西南鸦片烟种植面积之广，吸毒人数之多，为全国冠，其流毒之大，非言语所能形容。兹为坚决执行一九五〇年二月廿四日“中央人民政府政务院关于严禁鸦片烟毒的通令”起见，拟定禁绝鸦片烟毒的实施办法如下：

（一）自本办法公布之日起，严禁种植鸦片。凡已种植之烟苗，一律全部铲除，改种农作物。违者从严惩处。

（二）严禁运销和贩卖鸦片、曹达、白面、金丹及其他类似毒品。原有运销贩卖毒品之商贩，限于本办法公布之五日内，向当地人民政府或公安机关全部缴呈其存货。倘有继续运贩烟毒或抗缴存货者，一经查觉，定予严历〔厉〕处办直至死刑。

（三）严禁开设鸦片烟馆。凡在中央人民政府政务院二月廿四日通令公布后继续营业之鸦片烟馆，限于本办法公布之五日内向当地人民政府或公安机关全部缴呈其烟具存货，没收烟馆主人本人所有的属于烟馆部分之房屋和家具，并得视烟馆大小课烟馆主人以适当罚金，其罚金数目由人民法庭判定之。倘有继续开设烟馆或采取其分散隐蔽方式供给吸毒人以毒品者，或抗不缴呈烟具存货者，一经查觉，定予严历〔厉〕处办直至死刑。

（四）严禁制造曹达、白面、金丹及其他类似毒品。原有制造人如向当地人民政府及公安机关自首，全部缴呈制造工具及存货者，得课以适当罚金，并从宽处理。倘敢继续制造或抗不自首，一经查出，定予严办直至死刑。

(五)严禁各药商出卖制造曹达等毒品原料(　　)，其现有存货应即缴呈公安机关焚毁，违者惩处。

(六)散存于民间之烟土毒品，应缴呈当地人民政府指定机关。我人民政府为照顾种烟户及存烟户生活，可给以平均每两三斤至四斤米之补偿。并准其折缴一九四九年度公粮，或预缴一九五〇年度公粮。

(七)所有缴呈或没收之烟土毒品，一律由各县市人民政府协同禁烟委员会及人民代表会议机关点清数目，当众全部焚毁，不准丝毫保存，不准转卖或作为财政收入，违者严惩。

(八)吸食烟毒之人民，应限期登记(城市向公安局，乡村向人民政府登记)，并定期戒除。隐不登记者，逾期而犹未戒除者，查出后予以处罚。

(九)遇有持武装保护运贩烟毒或借土匪武装护运烟毒者，一经捕获，加重治罪。

(十)各轮船公司汽车公司木船公司之业主及员工，有协助政府查禁烟毒检举毒犯之责任。倘有业主或员工利用其职业便利，进行或帮助别人进行秘密贩运烟毒者，一经查获，定予从严治罪。

(十一)各级人民政府卫生机关，应配制戒烟药品，及宣传戒烟戒毒药方。应以县为单位设置一处或多处戒烟所。

(十二)各级人民政府应协同人民团体，进行广泛的禁烟禁毒宣传。各县市人民代表会议应作专题讨论，作出切合于当地之决议，交由禁烟禁毒委员会施行。

(十三)各级人民政府应设立禁烟禁毒委员会。该会由民政、公安部门及各人民团体派员组成，民政部门负组织之责。亦得由各界人民代表会议选举组成之。

附：中央人民政府政务院关于严禁鸦片烟毒的通令

(一九五〇年二月廿四日)

西南局转发贵州省委关于匪特的破坏办法及我之对策和经验

(一九五〇年八月二十四日)

各地并中央：

兹将贵州八月十九日的通报转发你们参考。各地农协的组织和领导问题，务必引起严重的注意和警惕，各方面的材料证明现在已经建立的农协，问题是不少的，必须加以适当的整理，才能担负起减租反霸的任务，而整理的关键则在于首先把领导成分弄清楚。至于民兵在目前是不应该建立的，望各地注意。

西南局

八月廿四日

西南局关于在民族杂居地区不急于进行减租退押运动致西康区党委电

(一九五〇年九月五日)

西康区党委：

申冬电已复，经我们再加考虑有重复说明必要，我们认为为了不致影响到少数民族，在民族杂居地区也不要急于去搞减租退押运动，是正确的，同意你们用当地专署或县政府(不必用省政府)名义发布一个文告，最好还同时专门召集彝民代表会议加以说明更为有效。在公布时，一般只说明在少数民族中不实行减租反霸退押，因为少数民族的改革，只能由少数民族自己去决定，同时也应说明在民族杂居地区，只在汉人部分实行，凡涉及少数民族人民的部分则一般不应实行，只有在少数民族人民要求实行时(这往往是对少数民族有利的)，才可以在经过专署以上政府批准的条件下酌量情形加以实行，如果在这种地区实行时，有某一家少数民族人民不愿实行时也可不予实行。我们不应一般地宣布杂居区域不实行，因为在杂居区域的汉人部分迟早要实行的，我们暂时不在那里实行是对的，但这只是步骤上的问题。

西南局
九月五日

西南局、西南军区转发川西军区关于集训人民自卫武装骨干的简报

（一九五〇年十一月二十九日）

各省区党委及军区并报中央军委：

兹将川西军区关于人民武装的报告转发你们，这些经验是值得各地重视和效法的。我们希望其他各区也进行同样的检查并将经验告诉我们。

西南局及军区
十一月廿九日

西南局转发川西区党委关于减租退押清匪反霸的工作报告

（一九五〇年十二月十二日）

各地并中央：

兹将川西区党委十二月十日报告转发你们，从川西报告更加证明退押是一个艰巨而复什的斗争，必须很好掌握才能完成任务并使少出乱子，川西的经验是可以采取的。同时希望各地也作一个这样的报告，尔后即应遵照中央规定每月作一次关于减租退押斗争的简报。

西南局
十二月十二日

关于西南局工作情况给刘少奇并中央的报告

（一九五一年二月二十八日）

少奇同志并中央：

经过十二月和一月的工作，我们作了两件事情，即结束了对国民党正规军的战争和各城市的接收工作。同时也出现了一系列的新的问题，即：（一）城市的管理问题；（二）农村的工作和剿匪问题；（三）九十万起义投诚的国民党军的改造和处理问题；（四）以及有关统一战线和团结大多数问题。这些问题必须予以明确的解决，才能组织内部力量，统一内部思想，以遂行正在展开的较之第一阶段复什百倍的斗争。因此，我们从二月六日起到十日止开了一次中央局委员会会议，贺龙同志及各区负责同志（除云南）均到会。在会议上我作了一个报告，这个报告经过几天讨论之后，又根据大家的补充意见作了修改，现已印发出去，作为下一阶段斗争的方针，兹送上一份请予审查和指正。

这次会议一致批准了第一阶段中央局的工作，大家认为中央局的指导尚属明确。为便于检查工作，我们将中央局各项指示文件印了一个本子发给到会各同志，兹亦一并送审。

当前西南的基本情况是：国民党匪特和封建阶级（包括地主恶霸帮会土匪）正展开全面的反抗革命的斗争，其特点，如同其他新区一样，一开始就带着剧烈的武装斗争的性质，其形式是到处土匪蜂起，有的地方已开始有会门活动，而且都表现出明显的政治性质。他们的口号，主要是抗缴公粮，提出“饿死不如战死”的口号，他们制造共产党要抓丁收民枪打第三次世界大战，提出“死在异乡不如死在本乡”

的口号。提出“专打北方人（或外乡人）不打本地人”“打穿军衣戴帽花的不打穿便衣和不戴帽花（指起义投诚的国民党军）的”。他们的行动着重于破坏工厂，抢劫公粮公盐，并提出“开仓济贫”的口号。这些口号，也确动员了部分贫民参加。据现有材料反革命武装川东区约有三万人，川南区约有两万余人，川北川西西康贵州刻均甚猖獗。由于土匪的猖獗，不但严重地影响了公粮的征收，而且严重地影响了城乡的交流，这成为近日重庆成都等城市物价大涨的重要原因之一。所以剿匪已成为西南全面的中心任务，不剿灭土匪，一切无从着手，这次会议特别强调了这个问题，会后又由军区作了具体的指示。现各省区军区正在布置，但因部队刚才进入工作地区，情况甚不熟习，特别是由正规战转到游击战，思想仍有抵触，战术亦感生疏，刻正进行动员和组织工作，总要经过短期之后，才能见效。

各地土匪起来之快，固由于国民党在西南作了较其他各地更为周密的部署，同时也由于我们征粮的直接影响。过去国民党在四川的最高征粮数为一千二百万担，我们这次征收数为两千万担（卅亿斤），如果加上国民党的苛捐什税，当然比我们还是要重得多，而照去年四川收成来说也是拿得出来的。但我们是一次或两次缴纳，而征收季节又嫌过迟，许多地主的粮食已经卖了，现在要买粮来交，又是贱卖贵买，当然也有些困难，特别是由于历来地主阶级的当权派是不纳粮的，即一般地主过去也只出约百分之廿的负担，现在要出百分之四十到五十，当然是要叫要跳的。不过我们在征粮上也有不少毛病，例如我们各地差不多都采用了过去国民党的赋元办法，其好处是简便易行，其毛病是佃户不负担，故负担面很小。四川土地集中的程度，远远超过江浙两湖等地，不少地方佃户占百分之七十，如照赋元办法则百分之七十左右的负担落在地主阶级身上，在我们工作毫无基础，群众尚未组织与发动的条件下，当然是不易行通的。我们的同志，往往对于地主的叫嚣，是采取不闻不理的态度，对于地主特别是小地主的真实困难，也不予考虑和照顾，如过去对国民党缴纳的负担，不予扣除，结果使负担超过了百分之五十以上。现在各地的情况是农民缴粮比较踊跃，地主或者抗不缴纳，或者取观望态度，最好的地区只收到四十左右。而公粮又是必须完成的，否则要产生严重的财政混乱，所以这次会议对此作了一些调整，主要是力求负担面达到百分之七十到八十，和坚决实行中央所定各阶层的负担比例，以之作为检查政策是否正确、办法是否合理的标准。只有我们做得如情如理，反动派才会无计可施，我们也才可能在分化地主阶级集中力量打击反动武装和与反对我们的恶霸分子的策略基础上，便于剿匪和完成征粮任务。

农村的另一重大问题是春耕已届，四川农田耕种之精细为全国冠，但是我们估计到征粮对于生产的影响，同时我们各级干部弱，任务多，也很可能放松对于生产的注意和领导，所以这次会议提出的农村中心口号是“剿匪生产”，我们还准备发放一部分农贷，以使维持原有生产水平不使降低。

反霸的口号，我们考虑以暂时不提为好，因为在策略上目前不宜普遍地去反霸，而应集中力量打击现在反抗我们的人，这样实际上也会打到主要的恶霸身上，但是这要比较明确而易于掌握些。对于地主阶级，这次征粮一部分小地主可能重了一点(即超过了百分之四十)，在策略上我们宜于分化地主阶级，不使紧紧团结起来反对我们，所以我们拟指示各地根据此次征粮表现，有意识地团结一批开明士绅，即地主阶级的左翼，吸收他们当代表，当协商委员，并吸收一些到政府部门中工作。同时应再次明白宣布今明年公粮负担比例仍照中央规定标准，不予变更，以稳定阶级关系和生产情绪。

就西南来说，工业方面国营占优势，除棉花外，日用品均可自给而有余，历年贸易都是出超，条件是极好的，剩下的问题是要求我们尽速地学会管理城市。而在西南斗争内容最复什的还是对付封建阶级，这个敌人的基础之厚，不容轻视，与此密切关连的是为广大的失业群(比其他各地要大）谋出路的问题，做到了这一步，才能最后抽掉封建阶级的基础。因此，我们考虑西南宜于争取明冬后春开始分配土地，西南土地甚为集中，分配土地时打击面小，较为易行。只要今冬明春大体完成了剿匪反霸阶段，明冬后春在有工作基础地区实行分配土地是可能的。

其他问题还很多，这个报告中不提了。

邓小平
二月十八日

西南局转发康定地委的工作情况报告

（一九五一年三月二十八日）

各地并中央：

兹将康定地委工作情况报告转发你们，这个报告说明了在少数民族地区或民族杂居地区建立区域自治或联合政府的重要性，康定区因为建立了自治区人民政府，不但团结了藏族，而且各种工作都进行得比较顺利，这个经验在有少数民族的地区必须加以重视。

西南局
三月廿八日

西南军政委员会对云南省政府关于民族自治区名称等问题请示的批复

（一九五一年五月十四日）

云南省人民政府并报政务院：

五月四日电悉。

（一）经过各族人民代表会议选举了政府委员会的专区应否订为一级政权问题，我们考虑结果，认为这种专区仍不宜订为一级，而与其他专区一样是省人民政府派出之督导机关。建立专区级政府委员会的目的，是在于团结各族代表人物参预政事，便于使上级政令能在各族人民中顺利推行，又便于解决各族人民之间的问题，达到团结之目的。不把这种专区订为一级，也不致于妨害这种目的，反之，如果订为一级，增加政权层次，则有侵越省政府和代替县府职权，使上下隔离，降低行政效能之弊。

（二）专区各族人民代表会议的职权为听取和审议专员（代表委员会）关于执行省政府各项政令情况的报告，讨论有关各民族间的团结问题和关系于全专区性质的地方行政问题，选举专区人民政府委员会。这种代表会议订为一年一次即可，遇有重大问题则召集临时代表会议。专区的经常领导集中于专区人民政府委员会。

（三）专员副专员仍应由省政府任免，专区代表会议只选举委员会委员，由省政府批准任命。专员副专员为该委员会之当然的主席副主席。这样才能与专区系省派出之督导机关的行政体制相符合，人事调动也较灵便。但为了照顾民族团结，专员或副专员的人选，要尽可能地物色少数民族中的适当人物充任。

（四）专区县区乡各级联合政府与其他地区一样全称某某专区（或某县某区某乡）人民政府，及人民政府委员会，不必加上各族二字。联合政府的实质表现在委员会委员及代表会议代表的名额是按照各族人口比例选派的，在政治上各民族是平等的。但在讲话中应多注意提醒这就是各族人民的联合政府。

（五）实行民族区域自治的县区乡，全称某县某族自治区人民政府，某县某区某族自治区人民政府，某县某区某乡某族自治区人民政府。一律简称某县（区乡）人民政府。

（六）上列五条意见连同云南省府五月四日电报一并呈报政务院，请予以审核批示，以便通令全西南各地一体遵行。在政务院未批复前，云南省府可依上列指示试行。

西南军政委员会
五月十四日

西南局关于征粮、剿匪等问题致川南区党委并报中央电

（一九五一年六月十七日）

川南区党委并各地报中央：

删电悉。你们已有十三个县和自贡市完成了百分之七十五以上的公粮任务，即将有四个县达到百分之七十五，即是说你们在长江北岸的各富庶县份除合江一县外都已获得较好成绩，同时在这些江北岸的基本地区中，股匪已被肃清。川南的公债任务业已超额完成。川南的税收情况虽相差尚远，但较其他区域情况略好，已完成全年任务百分之廿强，五月份则完成了应完成数百分之七十八。这些说明川南这一时期的工作是有成绩的，已经开始摆脱被动的状态，在这样的基础上，你们提出在上述业已完成公粮百分之七十五以上的十八个县市，转移工作重点，是完全必要的，你们所提的下半年（七月到十二月）工作计划是对的，我们完全同意，同时提出下列各点请予注意：

（一）全西南公粮四十亿斤，现仅收到十七八亿斤，完全收齐是有困难的，而尤其云南贵州为严重，但全区至少完成百分之七十五即卅亿斤才能勉强渡过财政难关。如要在全区完成百分之七十五，就必须在四川各区完成廿三亿斤即百分之七十七到八十才行。所以征粮工作仍不可丝毫忽略，即使在已完成百分之七十五的县份，也应以足够力量抓紧清理尾欠和调整负担，凡属贫苦农民无力缴纳者应予减免；凡属地富因负担过重而无力缴纳者应予酌情减少；凡属地富并未超过应负担量而确系一时难于缴纳者，应准其打借条，允许在秋收时补缴；凡属本应缴纳而又有能力缴纳者，应坚决继续摧〔催〕收；凡属坚决拒抗的恶霸地主，应由法庭依法惩办。在策略上，我们对于地主也要做得如情如理，但对于地主按政务院规定的负担内必须缴纳的，不能让步，以击破地主的抵赖风气，而利今后各项政令之推行。对于干部的乱打乱捕行为，则应严加禁止。请你们根据应完成公粮百分之七十七到八十（川东已规定必须完成百分之八十）的任务，又根据上述的调整步骤，确定注意事项指示下级执行。

（二）肃清土匪仍然是川南的中心任务之一，在股匪业已消灭的江北地区，亦不能丝毫忽视，防止麻痹，因为土匪再起是可能的，其关键在于发动群众的程度和统一战线工作的好坏，你们将发动群众和清查散匪结合起来的方针是正确的，应特别重视组织群众防匪自卫和在农协的基础上有步骤有方法地实行枪换肩的工作。在南岸匪情是严重的，川南军区及十五军应统一步骤并按西南军区规定执行。

（三）七八两月的整风是为九十月间减租的直接准备。在减租阶段的口号上应加清匪（或剿匪）两字，即清匪反霸减租，因为任何时候都要把肃清匪特的任务提得非常明确。反霸口号在前一时期我们不提是完全正确的，减租以前仍然不宜提出，但在减租阶段则必须提出。反霸问题很复什，往往容易犯打击面过大树敌过多的错误，所以在整训干部时必须把反霸内容对象和方法弄得清清楚楚，避免紊乱。这个问题请各区加以研究在七月上旬以前提出意见，以便由中央局发出统一的指示。

（四）调整工商业在重庆已获成绩，在近日重庆第二次各界代表会议上所反映的主要是税收问题，而税收问题则是调整工商业的主要内容之一，据说内江糖业问题很多，又听说糖业问题主要出在借糖缴公粮上面，这件事请予检查处理。各地对于调整工商业问题必须认真进行，在进行中有何困难和意见，望多多提出。

（五）整编复员工作务必抓紧，以军区为中心进行，为使军队集中力量剿匪和进行复员，军委总政已规定军队整风一律在秋收进行。

西南局

六月十七日

西南局转发重庆市委关于吸收党外人士处理反革命案犯的报告

（一九五一年六月十七日）

各省区党委并中央：

重庆市吸收党外人士处理反革命案犯的经验很好，特转给你们，请督促各地仿行。

西南局

六月十七日

西南局关于在小城市进行五反的意见复云南省委电

（一九五二年二月一日）

云南省委：

一月廿四日电悉，关于你区应否在各小城市向工商界进行五反运动问题，经过我们反复的考虑，认为在原则上应在一切大中小城市无例外地开展这个运动，因为这个运动的本质是对资产阶级两三年来对我党疯狂进攻的一个猛烈反击，是迫使资产阶级伏伏贴贴地在国营经济的领导下去经营工商业，遵守共同纲领，不敢再行胡作乱为，同时也可以工商界的五反运动，遂行里外夹攻，搞清内部的贪污分子。此外这个运动本身还对各民主党派各种知识分子起到思想改造的伟大作用。根据我们了解的情况，资产阶级的进攻，不仅在大中城市，而且在小城市也是疯狂的，我们各级干部对此都是警惕不够的，不把资产阶级的丑恶方面如投机倒把，行贿引诱国家工作人员，偷税漏税，偷工减料，窃取国家经济情报等等事实暴露出来，就不可能使我们一些共产党员的头脑清醒过来，同时没有工商界的五反，就很难把内部的大贪污犯搞出来。所以，我们在任何地方都不应该丧失这个机会，而应聚精会神的进行这个斗争。在斗争中，无疑地，我们应该对于大多数犯法的工商界者采取从宽处置的政策，从而争取其中的绝大多数组成统一战线，去反对最坏的少数的奸商，只要这样做，只要我们把打击目标缩小到少量最坏的奸商(北京约为一千家，重庆估计亦不过一千家，在一个小城市可能只有几家)，就不至于影响到城乡交流和人民生活，同时我们应该发展一批国营商店和合作社去代替那些最坏的奸商，即使某些地方暂时受些影响(很快可以恢复)，也不可因噎废食，而不去进行五反运动。至于你们防止可能的混乱，采取稳重的态度，特别在云南主观力量较弱的条件下，是很对的，这似可以用一部分地区先进行一部分地〈区〉暂不进行，一个地方又采取先内后外等等方法去弥补。以上意见请你们再加考虑。

西南局

二月一日

西南局关于召开第九次委员会会议给中央并各省市区党委的报告

（一九五二年六月二十日）

中央并各省市区党委：

我们从六月九日到十四日召开了西南局委员会第九次会议，有各省区党委负责同志及财委副主任商业厅长银行行长参加。这次会议主要是讨论经济工作和三反后的建设工作，并根据中央局第七次会议所确定的一九五二年工作计划排列下半年的工作日程。会议首先听了刘岱峰同志关于中财委会议的传达报告并作了讨论。

（一）五反以来，市场的暂时停滞现象是严重的，以二三两月为最坏，四月下半月开始恢复，惟进步甚微，五月下半月开始好转，但仍未恢复正常。总的情况是小城市恢复得好，大中城市则进展迟缓。以重庆为例，六月上旬的交易额只相当于去年十二月平均每旬的百分之六十；恢复得最好的是成都，六月上旬的交易额已达十二月平均每旬的百分之一百零九，但公营比重加大，私营只恢复百分之六七十。这种情况反映到税收上是：第一季度虽已完成我们的调整数（七千二百亿），但只达到中央核定数(八千七百亿）的百分之七十，今年上半年估计只能收到一万六七千亿（全年任务可以完成），只能达到全年税收(四万五千亿）的百分之卅六、七。税收情况也是小城市好，大中城市差。所以恢复经济生活的关键在大中城市，更在于使工商业大户（约五千户）动起来，故须从下面几方面来研究和解决问题：

甲，迅速而正确的结束五反。西南进行五反的城镇约三百点，都是在严格控制下进行的，发展正常，一般地符合中央政策，在运动中都曾发生一些偏差，但获得了及时的纠正。这三百点大都业已结束，有些大中城市还剩有几十户百余户，或因三反牵扯，或因案情复什，尚未结案，只要按照政务院指示执行，也易于处理，故我们决定所有城市，一律须于七月上半月内正式宣布结束五反（重庆已宣布基本结束)。五反三反赃款，西南局前已决定的控制数为一万七千亿（五反一万，三反七千)，现已收到三反四千七八百亿（包括现金实物)，五反一千五六百亿，这个控制数字我们认为是恰当的，这次会议又为了利于恢复经济，放宽一些尺度，在一万七千亿中划出两千亿（约百分之十二）为机动数，各城市可根据情况，酌情减免一些。五反交赃时间，其现金部分，或从九月开始交，或从十二月开始交，均听资本家自愿，但必须于明年二月交齐；其欠条部分，除个别特殊者外，均须于明年年底交齐。最近各城市对缴纳所得税，均有不同程度的叫喊，我们已决定凡属确有困难者，均应仿效华北办法，将已收五反赃款一部转为所得税，重庆已这样做，反映甚好。我们觉得对待资产阶级既不能太严，又不能太松，太严会大大影响经济生活，太松则会减弱五反的严肃性，对政治上亦不利，且将刺激资产阶级重犯五毒(各种各式的反攻已开始出现)，所以在处理五反问题（包括核定赃款）要不严不松，在税收上面要严（坚决照税章办事)，在加工订货银行放款营业分配等等上面则应松些。

乙，正确调整在五反后呈现出的新的公私关系，在这方面目前主要是防左。在加工订货上，要纠正计算过苛，工缴过低，规格过严的毛病（工人对此也有反感)。在银行贷放押汇上，失之太紧，不能配合当前恢复经济生活的任务，这在西南是较普遍的毛病，必须纠正。重庆市长宣布放宽贷放尺度，反映很好，但都耽心银行不能照办，值得注意。在贸易工作上，中财委规定的公私零售额比重(即目前公营暂不超过百分之廿）在西南是适当的，根据此比例，西南的合作社仍须坚决按照计划发展，但某些行业(如百货）国营比重过大，暂时不宜再行扩大，有些则还须适当缩小，让点市场给私资活动是必要的，最近重庆在联购青麻上规定了合理的公私比重，影响甚佳，刺激了私商的积极性。此外，由于近来全国物价普遍降低，也引起了商人的普遍叫喊，感到生易〔意〕不好做，怕大量进货，因此确定西南区在一个相当时间内，除个别必需调整者外，以维持现有牌价为有利。

丙，劳资关系也须调整。在工人中，一方面要充分宝贵工人的热情，监督资方再施五毒，并防止资本家的反攻；一方面要用说服的方法，教育工人遵守劳动纪律，团结和鼓历〔励〕资方积极生产和经营，对于那些不守劳动纪律和限制资方经营积极性的左的倾向，应耐烦地加以纠正。工人监督生产除正在试行的个别厂店，必须加强领导积累经验外，试行范围暂不扩大，以利于安定资方情绪。为了解决和稳定新的劳资关系，成都市采取了五个工人以上的工厂商店普遍订立劳资合同，四人以下厂店普遍订立爱国公约的办法，收效极好，各地均应仿行。在五反过程中，资方拖欠工资的现象较为普遍，应由资方照数补发，但一次补发确有困难，重庆市采取分期的办法，实属必要，这个办法各地可以效法。对于工人增加工资的要求，凡属合理而又可能者，应加支持，但必须由市委谨慎掌握严格控制，一般说来，目前是不宜于普遍增资的。

丁，对于城乡内外交流，应鼓历〔励〕私资积极性，主动地打通城乡特别是大区与大区省与省之间的原有的来往贸易关系，开好土产交流大会，银行贷放也应与交流大会配合起来。

戊，对于当前的经济改组情况，各地党委及财委，应好好研究，多想些办法，使波动小一些。西南失业工人现约八万，多因经济改组而失业，以建筑搬运工人为最多，如果我们把已经确定的基本建设和城市建设的计划，迅速订出并提早施工，就可以很快地解决这个问题，并可附带地解决了现有的半失业的廿万城市贫民的问题。

己，西南劳改犯人约卅万人，过去因为谋求生产自给，到处乱挤，发展了生产的盲目性，相当地影响了公私经济。今后必须把这卅万人（现已安置十余万人）的问题列入各地财委计划之内，停止盲目性。这个力量必须安置到比较长远的生产事业中去，而且应以农业林业为主，才不致向城市乱挤。会议规定每个省区订出今年内安置两万犯人的劳改计划（明年再订每区两万人的计划），迅速报来批准施行。

我们认为采取上述各项措施，召开一系列的资本家会议工人会议和四员（采购员、验收员、税收员、放款员）会议，加以贯彻，则力争在七月份内完全恢复正常的经济生活，是可能的。

（二）关于三反后的思想建设、组织建设和制度建设（特别是民主生活制度）及结束三反的定案追赃工作，我们系根据中央六月十五日关于争取胜利结束三反运动中的若干问题的指示精神（由电话告知的要点）进行讨论，我们完全同意中央这个指示（现书面指示已收到）并遵照执行。西南三反定案工作，一般是严肃的，现已定案的老虎约近百分之六十，力争七月份内处理完毕（六月底处理不完）。思想建设正在进行，在交代关系中，完全遵照中央指示，启发自觉，不追不逼，排列名单，严格控制，这样做法，据各地报告，效果很好，既有教育作用，又发现不少新的材料。详情以后再作专题报告。在三反中暴露出的一些消极情绪和错误思想，主要是一些小资产阶级的思想，在运动〈中〉没有受到应有的批评，故在部分小资产阶级知识分子中，个人主义自由主义和无组织无纪律现象，也有一定程度的发展。而这又主要是与领导干部的消极情绪和放松领导责任有关，其典型例子是在今年五一节公安部某处派勤务时，有些干部不听分配，结果采取抓阄办法解决，这虽是个别的，但是严重的，所以在建设阶段还须注意纪律性的教育，适当地批判各种错误思想。鉴于在一般工作人员中，因为曾对领导者提过意见，存有怕领导者报复的情绪，故在方式上应着重从积极方面教育诱导，禁止来一个批判小资产阶级思想运动或阶段，因为对小资产阶级思想的改造，是一个长期的教育过程，不允许采取简单粗暴方式的。

（三）关于工业交通的五年建设计划，我们完全同意分配给西南区的任务。这个任务非常繁重，为了保障其实现，中央局及各省市区党委必须立即真正地把工作重心转向工业转向城市。同时会议决定坚决抽调廿个地委书记一百卅个县委书记转作经济工作，主要分配到基本建设和现有厂矿中工作。

（四）关于下半年的工作排列，会议作了如下的规定：

甲，在三反的基础上，争取于七八两月完成整党与清理中层的工作，这是办得到的。党员八条的教育，有的做了，有的还没有做，其没有做者，可在结束整党之后划出一个时间去补课，以免把整党时间拖得太久，妨碍了建党工作。

乙，建党是西南党的工作的主要任务，必须按照中央指示，在明年六月以前完成发展三十万党员的任务，这次会议并作了具体的分配。

丙，对于工矿企业的民主改革，我们规定凡属进行了三反的国营企业，和进行了五反的私营企业，就应宣布民主改革运动的结束，这样的好处是使我们的工作同志能及时地把注意力转到生产上面。

丁，学校改革照原订计划进行，已进行的十二个大专学校，要在暑假前结束，其余十校留在下学期开学后进行。中等学校，一律采用川北办法，在今年暑假期间用集训教师的方法解决。对小学教师则采用川南办法，用召集代表会议的方法解决。如此，学校改革的任务，今年内是可以大体完成的。

戊，禁毒运动确定暂时不动，但规定各地必须于七月底作好准备，订好计划送到西南局审查，然后再看情况规定发动时间和具体政策。在方法上，力求十天左右解决问题，以免波动太长，影响工商业。

己，乡村建政和干部集训(即三反)，一律推到秋收后进行，以免影响农业生产。查田评产工作，已有三分之一地区(即进行了土改复查的地区）做了，其尚未做的地区，也留在秋后进行。

(四〔五〕)以上就是这次会议的内容，是否妥当，请中央审查批示。

西南局

六月二十日

中共中央同意上海市委关于二届四次人代会计划的复电

(一九五二年九月二十四日)

上海市委并告华东局：

九月廿日电悉。同意你们所拟关于第二届四次各界人民代表会议的计划。潘汉年同志的报告草稿可由华东局审查，不必送来中央。

中央

九月廿四日

中共中央转发轻工业部党组关于华北区造纸工业交流先进经验大会的报告

(一九五二年十月十五日)

各中央局分局、并转各省、市、区党委：

中财委党组转来轻工业部党组十月八日关于华北区造纸工业交流先进经验大会的报告很好，特转发各地参考，并可在党刊上登载。

中央

十月十五日

中共中央转发教育部党组关于六、七月份综合情况等的报告

(一九五二年十月十七日)

各中央局、分局，各省市区党委：

兹将中央教育部党组八月廿三日的“六七月份综合报告”，八月廿日“关于中小学教育行政会议的报告”，八月廿四日“关于接办私立中小学问题的报告”，八月廿五日“关于实施小学五年一贯制问题的报告”转发你们。中央同意这四个报告有关大中小学和扫盲运动的方针和计划，望各地党委及宣传部仔细研究，指导和监督下级党委和政府文教部门贯彻执行。从报告中，特别是从初步拟定的教育建设五年计划要点中，可以看到今后党在领导文化教育方面的任务之繁重，在第一个五年计划中，国家开支的教育(不包括文化卫生)经费，将年达三十余万亿元。这样大的计划，花这样多的钱，如果没有党的严格监督，如果没有一个能够负责实行计划的比较健全的政府文教机构，那将是毫无保证的。因此各地党委必须重视这个问题，应与抽调经济工作干部同时，把党的宣传部门和政府文教部门加强起来，使宣教部门和经济部门一样能够明了实际情况、制定精确的计划、控制计划的进度和保证计划的完成。国家的教育建设计划是与国家的经济建设计划密切配合的，如果教育计划不能准确地完成，必将大大影响国家经济建设，

而我们现在的宣教机构是很难担负这样重大任务的，所以立即注意加强宣教部门，是很重要的。

中央
十月十七日

中共中央转发商业部、对外贸易部党组关于大区贸易部长会议的专题报告

（一九五二年十月二十日）

各中央局、分局并转各省市区党委：

中央批准中央商业部和对外贸易部党组十月八日关于大区贸易部长会议的专题报告及十月十六日中财委对此报告的意见。兹转发各地，望据以加强对于贸易工作的指导和帮助。

中央
十月廿日

中共中央同意西南局召开第四次军政委员会会议致西南局电

（一九五二年十月二十三日）

西南局：

十月十六日电悉。同意你们十一月底或十二月初召开军政委员会第四次全体会议及所拟的会议内容。此次会议请贺龙同志主持。

中央
十月廿三日

中共中央批转谢觉哉关于边远及贫瘠山区人民生活情况的报告

（一九五三年一月十七日）

各中央局分局，并转各省市区党委并告中财委党组中政委党组及内务部党组：

谢觉哉同志关于边远及贫瘠山区人民生活情况的报告是很重要的，兹转给你们，请你们在工作中，随时注意这个问题，因为这种地区，只有在党和人民政府长期关怀和扶持之下，才能逐渐地脱离贫困的境地。谢觉哉同志提出的几项办法，可供你们参考。

中央
一月十七日

中共中央转发地质部党组关于全国地质工作会议情况的报告

（一九五三年三月十日）

各中央局分局并转各省市区党委，中央人民政府各委各部党组：

全国地质人员会议开得很好，兹将地质部党小组三月六日的报告转给你们一阅。

中央
三月十日

中共中央关于青海等少数民族区域的选举委员会只设主席致西北局电

（一九五三年三月二十二日）

西北局：

三月十九日电悉。选举法的规定不可变更。青海等少数民族区域的选举委员会仍只设主席一人，勿须加设副主席，但如有必要，可由一少数民族代表人物担任主席，而由一个较强的党员担任选举委员会的秘书长。

中央

三月廿二日

关于康藏公路应走哪条线问题致贺龙电

（一九五三年四月六日）

贺龙同志：

四月二日电悉。康藏公路究应走那条线，以比较好修和比较早到为原则。中央原批准走南线，全系根据西南的意见，照现状看来，既以走南线为好，此间同志都是同意的。

彭　邓

四月六日

中共中央关于政务院编造一九五四年预算草案的指示致各中央局、分局并转各省、市委电

（一九五三年十一月二十六日）

各中央局分局并转各省市委：

中央人民政府政务院关于编造一九五四年预算草案的指示，业经中央讨论通过，并已由政务院发给各地。这个指示可登党刊。

中央

一九五三年十一月廿六日

中共中央转发曾山关于了解南昌市鸿泰百货代销店情况的报告

（一九五五年六月三日）

上海局、各分局、各省市委并告五办、商业部、合作总社党组：

曾山同志五月卅日报告很好，现转给你们参考。同时，望商业部和合作总社党组将南昌鸿泰百货店的经验下达，并嘱各地仿效试办。

中央

一九五五年六月三日

中共中央批转北京市委关于厂矿企业精简编制问题的报告

（一九五五年六月六日）

上海局、各分局、各省市委，党中央各部委，国务院各部委党组，中央编制工资委员会：

中央同意“北京市委关于厂矿、企业精简编制问题的请示报告”。中央认为北京市提出的增加班次，组织轮班学习，以等候国家调配的办法是目前处理厂矿企业多余职工的比较妥善的一个办法，望各地、各部门立即仿效试行。同时中央认为这个办法，对于某些国家工作机关也是可行的，各地、各部门亦可根据这个原则加以试行。中央特别责成中央编制工资委员会，在进行中央机关整编工作中，选择一两点试办，以吸取经验。

中央
一九五五年六月六日

中共中央关于召开党的第八次全国代表大会的通知

（一九五六年八月十五日）

各省市委、自治区党委，西藏工委，中直党委，中央国家机关党委，人民解放军总政治部：

关于党的八次大会问题，现通知如下：

(一)八次大会定于九月十五日开幕。

(二)现决定于九月一日到九月十四日举行八次大会的预备会议。

(三)请你们通知各代表务于八月卅一日以前到达北京，向中央办公厅报到。

(四)中央决定各地区和各单位所选出的候补代表，一律列席八次大会，请通知他们同时到达北京。

中央
一九五六年八月十五日

中共中央转发总政关于《军队参加社会主义建设工作纲要》等文件

（一九五九年三月十三日）

各省、市、自治区党委：

中央批准中国人民解放军总政治部关于“军队参加社会主义建设工作纲要”和“关于军队在地方党委统一领导下积极进行民兵工作的指示”两个文件，这两个文件除已由总政治部下达全军外，现转发给你们参照实行。

中央
一九五九年三月十三日

中共中央转发吉林省委关于部署“三反”的请示报告

（一九六〇年四月十一日）

吉林省委并告各省、市、自治区党委：

吉林省委四月二日关于部署“三反”的请示报告阅悉，中央同意省委的意见，在省的(及县的几——毛泽东加写)级干部会议之后，首先集中力量抓春耕生产，而将农村人民公社的“三反”运动，推迟到春耕之后或挂锄期间去进行。中央认为吉林省委的意见是值得重视的，今年在全国各省区争取一个很好的丰收，是十分重要的事情，其他各项工作都应注意到不要妨碍农业生产。因此，请各省、市、自治区党委都象吉林省委那样，切实考虑一下进行农村“三反”运动的时间，力求把这个运动放在农忙的间隙去进行。如果目前春耕太忙，为了使干部能够集中精力领导生产，可以把运动推迟到农忙之后去进行，而在近几个月则只进行典型试验，积累经验。(如果有些地方已在进行三反，而又注意到并不妨碍生产或反而有利于生产的促进者，亦可以由你们决定，照样进行。——毛泽东加写)

吉林省委的报告附发给你们，请将你们考虑的结果报告中央。

中央

一九六〇年四月十一日

邓小平手迹选

中央档案馆 编

四

批示 提纲

Collection of Deng Xiaoping's Original Handwriting

中国档案出版社

大象出版社

书名题字：江泽民

出版说明

为了纪念邓小平同志诞辰一百周年,我们编辑出版了这部《邓小平手迹选》。

半个多世纪以来,邓小平同志起草了大量文件、电报、文稿,亲自批阅了无数的公文,写下了许多书信、题词。我们从浩瀚的档案资料中,精选出邓小平同志从一九二六年至一九九二年间的珍贵手迹296件,汇编成这部选集。多数手迹系首次公开发表。

本书按题词、题字、书信、文电、批示、提纲分类,各类手迹按书写时间顺序编排。为便于读者阅读,所选邓小平手迹均附有释文。原文中的错字,释文订正用〔　〕标明,漏字增补用〈　〉标明,衍字用[　]标明,个别地方作了必要的注释。有些手迹没有注明年代,经过考证,在目录和释文中标明;有些手迹有年无月的,放在该年后面;有的手迹有月无日的,放在该月后面;时间不详的,放在该类后面;有的按内容放在相近的时期里。

中央档案馆

二〇〇四年一月

批示

提　纲

释　文

批　示

簽呈　一九五〇年三月十五日

川北行政公署三月七日呈，建議將南充縣設市，並劃歸川北行署直接管轄請示一案。查中央規定三十萬人口以上城市，方准設市（係國民黨已設市，自可仍設市）不足三十萬人口必須設市時，須報請政務院批准。我們覺得南充設市很有必要，是否即據以請示中央，請考慮。茲將原呈送請

核示！此呈

劉
鄧　首長

附呈原呈一件

孫志遠

孫志遠印

一九五零年三月十五日發出

應連同瀘州、自貢、內江、宜賓、雅安、遂寧、萬縣等地設市，一併向政務院請求批准。

鄧　三、十五、

西南軍政委員會文電摘由單

來文機關或姓名	交通部
事由	為公路局電請續設自用電台以利工程運輸一案特呈核示由。
文別	呈
附件	公路局原代電一份
收文	一九五〇年五月廿四日十時
收文字號	收總收字第4130號
擬辦	擬予批准，並：應協助處理各省間系全案文之統定處理。 東平 五廿五上
批示	呈核

同意此，但須嚴格審查電台人員，防敵特分子利用。鄧 五 [illegible]

[illegible] 閱 廿五日

[illegible]

[illegible] 送

大渡口工区的经验，再一次证明开代表会议的意义。西南所属各企业均应依照此中所说来开代表会议。这个文件应转发所有城市及工矿企业参阅。

邓 七月廿三日

西南軍政委員會工業部（通知） 編工辦發字第六四八號

受文者：鄧政委

事由：抄呈建築公司大渡口工區工人代表會議總結請查收參考由

茲抄呈本部工作組關於建築公司大渡口工區工人代表會議總結一份請

鑒核

附抄送總結一份

部長 段君毅

謝天霞 監印 曹師竹

公元一九　年七月廿　日

已刊 期

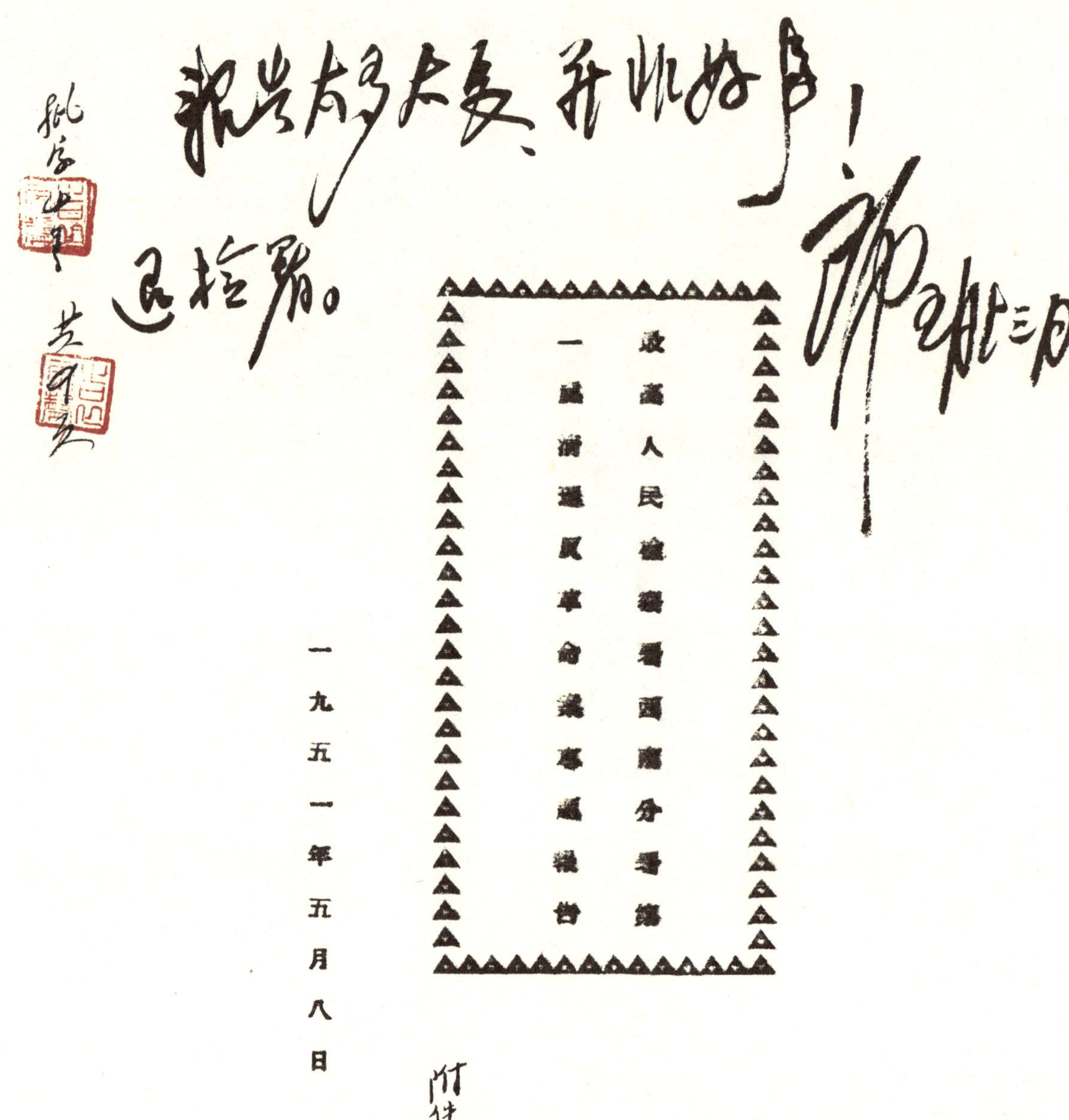

报告太多太长，并非好事！邓 五月十三日

退检署。

最高人民检察署西南分署第一届清理反革命案专题报告

一九五一年五月八日

附件有送报告二、

余均同意。此件后报先一下中财委。

邓政委：

西南区六月份暂行中央公教人员工资标准（草案）前拟之通知据中·第六项第⑤点、关于评定工资时，才、德、资，各占总分的百分比问题，未能最后决定。特将该点抄录于后，并请批示：

「⑤评资时，按现任职务先确定被评人职级（过去职级、工作参考），如「首长」、「干部」、「技师（等）」，就才、德、资各项展开评议，然后记分数。才、德、资各以六十分为及格，一百分为最高。但「才」的得分乘以70%，「德」

我以下面理由改订为才德资四四二比例：（一）以才为主才能坚持前进，做好工作。但（二）德是发展才能做好工作的基础，故加至四〇。（三）资历只占二十分了，特别是旧人（至于大有资格的人往往是最没有用的人。特别是新区，将德提高一点是必要的。

邓 六月十四日

西南軍政委員會工業部箋

茲送上關於建築工業統一管理的建議一份，請予

鑒核。

此上

鄧政委

西南軍政委員會工業部

八月十七

(51)工辦字

0120

附抄送關於建築工業統一管理的建議一份

中共中央西南局秘書處送審文件批示箋

贵市委之要到上月底、但请你们考虑打击面可以再缩小一点。

邓 四月十二

此件請批示後即退回 秘書處

文件編號	收到日期	送批時間	退回時間

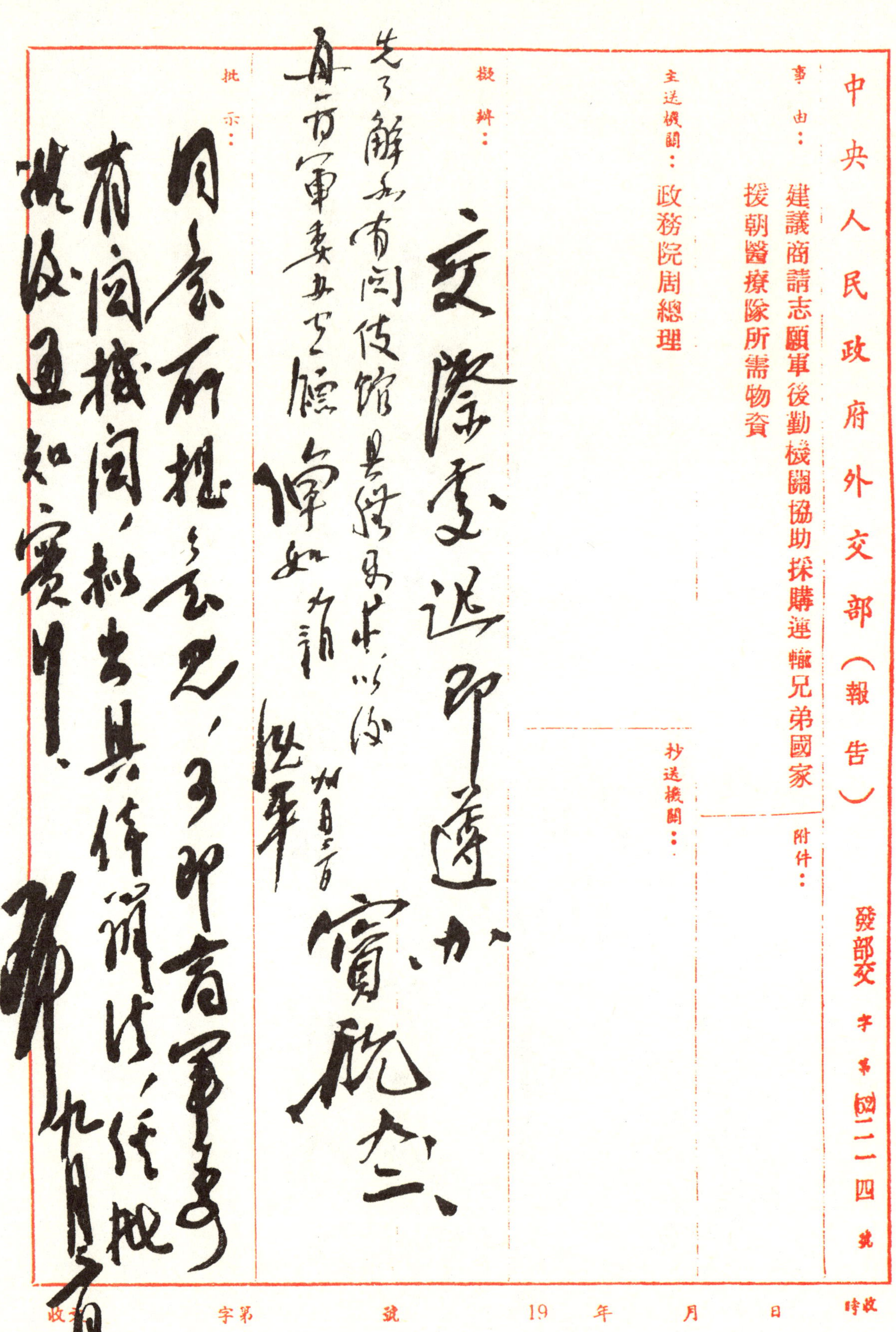
中央人民政府外交部（報告）

事由：建議商請志願軍後勤機關協助採購運輸兄弟國家援朝醫療隊所需物資

主送機關：政務院周總理

抄送機關：

附件：

發部交字第四二一四號

擬辦：

交陈赓速即遵办。
賓航 九、二

先了解和有关使馆是否确实需要以后再与军委总后勤部商如有请
继平 九月三日

批示：

同意所提意见，可即商军委有关机关，拟出具体办法，经批准后通知实行。
邓 九月三日

收文 字第 號 19 年 月 日 時收

此件请陈、[illegible]、子文传阅、退罗。

（一）请陈[illegible]考虑在基本建设中[illegible]防空费的问题。——估计十二万亿元。我以为应该列入五年计划的基建费中

（二）中央人民防空委员会所需技术干部，请子文同志设法抽调。此事请[illegible]同志与子文直接洽办。

（三）廿人至卅人的编制，同意。

（四）专家暂不要聘。请子文同志[illegible]出要人。

邓小平 十一月廿九日

20×19 22001－42000 中央人民政府政务院稿纸

中國共產黨中央組織部（請示）

總號中組50　　　　機密程度 机密

主送：小平同志並报
中央

凡属无辜被捕的都应恢复党籍。以前处理的，也应按此原则重作处理。

抄送：

周、朱、陈、彭、何阅

（共印 5 份）

本件 6 頁　中共中央組織部辦公廳1956年9月3日印發

装訂綫

近年來，由苏联陆續回国的中国侨民中，有些人原系中国共产党員和青年团員，其中有的人並且曾轉为苏共党員。他們在苏联曾无辜被逮捕、判刑和流放，因而失掉了党籍和团籍。在这些人当中，有的是刑滿后获釋参加了工作，其中个别人还成为模范；有的在貝利亞事件揭发以后，被无条件地釋放，並且恢复了名譽。

他們回国以后，都迫切地要求解决党籍問題。过去由于我們对苏联的情況不了解，一般地是采取重新入党的办法。据說，苏共自第20次代表大会以后，对过去无辜被捕的同志，一般地都恢复了党籍。

現在已回国的同志也都要求恢复他們的中共党籍。我們認为：他們只要在政治上沒有問題，在国內有人証明他們原系中共党員，

·1·

人民来信摘报

王猛同志：

我认为李金两同志的意见是正确的，应予重视，请国家体委研究处理。

邓小平
三月三

报邓小平副总理

要求用国产击剑器材参加亚运会比赛

北京体育学院国家击剑集训队李秋诚、金龙根给邓小平副总理来信说，文化大革命前，上海曾经生产过整套击剑器材，产品质量超过苏修，赶上匈牙利，并曾出过口。但是国家体委对此项工作抓得不得力，现在还准备从伊朗进口西德的击剑器材。他们认为，用外国的击剑器材出国比赛，有失民族尊严。要求责成国家体委和轻工部委托上海工交组自己生产击剑器材。让我们的运动员带上国产击剑器材参加亚运

摘报（74） 250号 3月2日 国务院办公室信访室

主席：公安部关于清理一批战犯人员的报告，政治局讨论过，现将修改的请示报告送上，请审核批示，所附名单可以不看。

邓小平 九月七日

邓副主席：

遵照您和政治局其他领导同志的指示，对关于清理在押国民党省将级党政军特人员的请示报告已作了修改，现送上请审示。

因报告中对解放后有某些违法犯罪行为，主要以历史罪判刑劳改，释放后"不"按起义投诚人员对待，改成"亦"按起义投诚人员对待，简况表和名单也照此改了一个字，故又附上一套附件。

毛主席、党中央批准此报告后，拟在十月份（国庆节前主要搞释放武装特务的工作）召集各省、市、区有关部门负责同志开会，研究如何按此请示报告的原则，组织具体落实的实施方

建议一律释放。[illegible]

[illegible] 1975.9.9

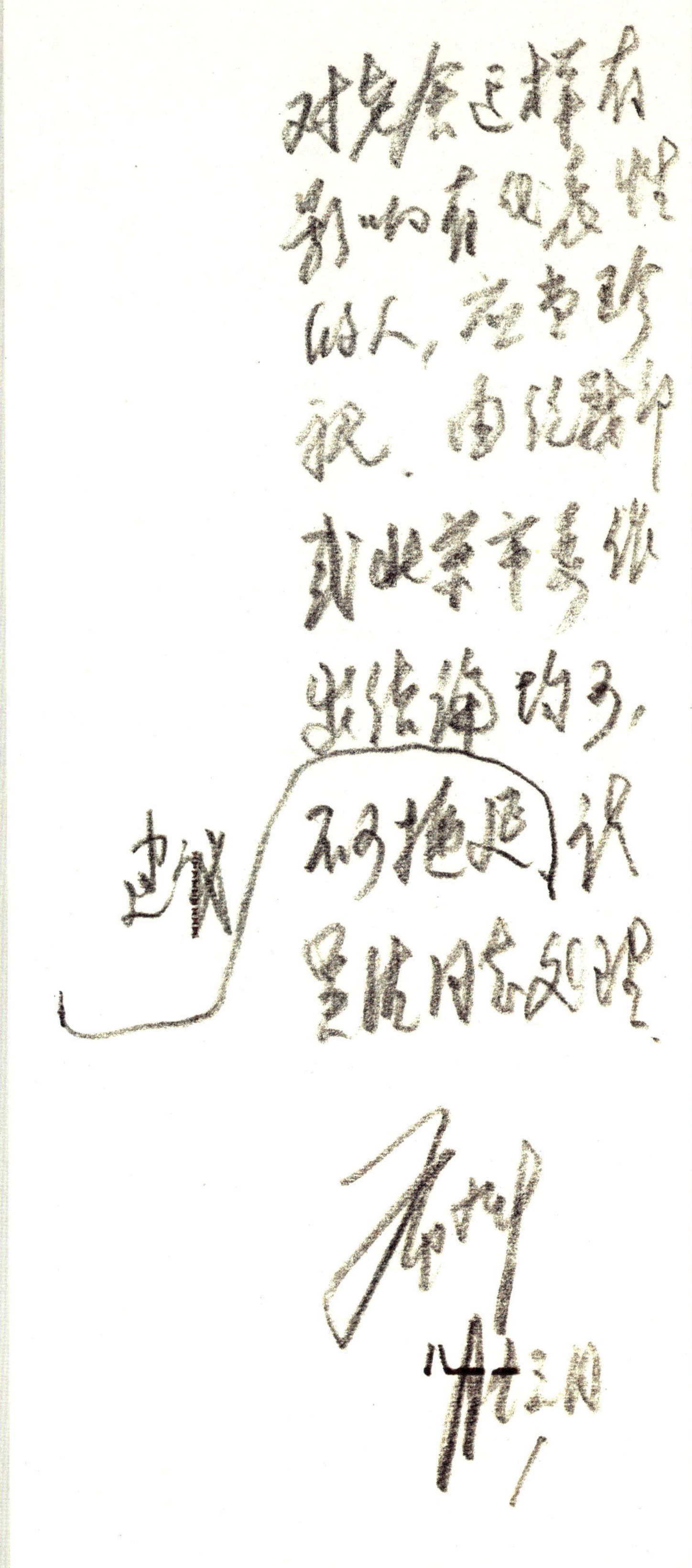

对[illegible]这样有
影响有代表性
的人，应当重
视。由统战部
或北京市委派
出得力的人，
不可拖延（迅速）。请
[illegible]同志处理。

邓小平
八月十三日

据我所知，王若飞同志在归绥被捕和出狱问题，肯定是没有问题的。

国锋、剑英（不要等）、先念、东兴同志：我约刘西尧、方毅、李昌谈了一下。当他们写好教育问题汇报提纲后，拟提

领导同志意见：

政治局讨论一次。

招生问题很複杂。据调查，现在北京最好中学的高中毕业生，只有过去初中一年级的水平（特别是数学）。所以至少百分之八十的大学生，须在社会上招考，才能保证质量。如何才能避免大的波动，他们正在研究，方案拟定后，拟先进行试点。　此件连同中小学教学计划草案，送请~~你们看看、供你参考之用。~~

邓小平　八月六日

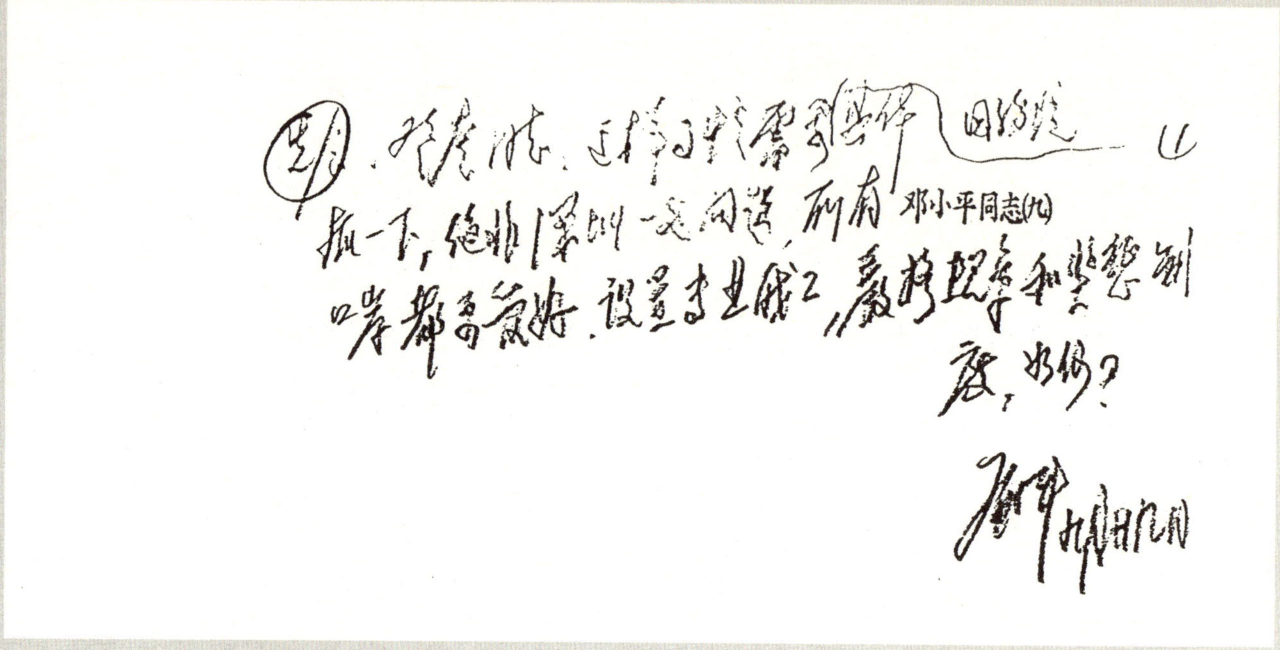

东兴同志：王一知是个老同志，她提到党校工作，请考虑一下。她想到广州一次，我可同意，如你也同意，请由中办或中组织照顾她。邓小平 十月廿日

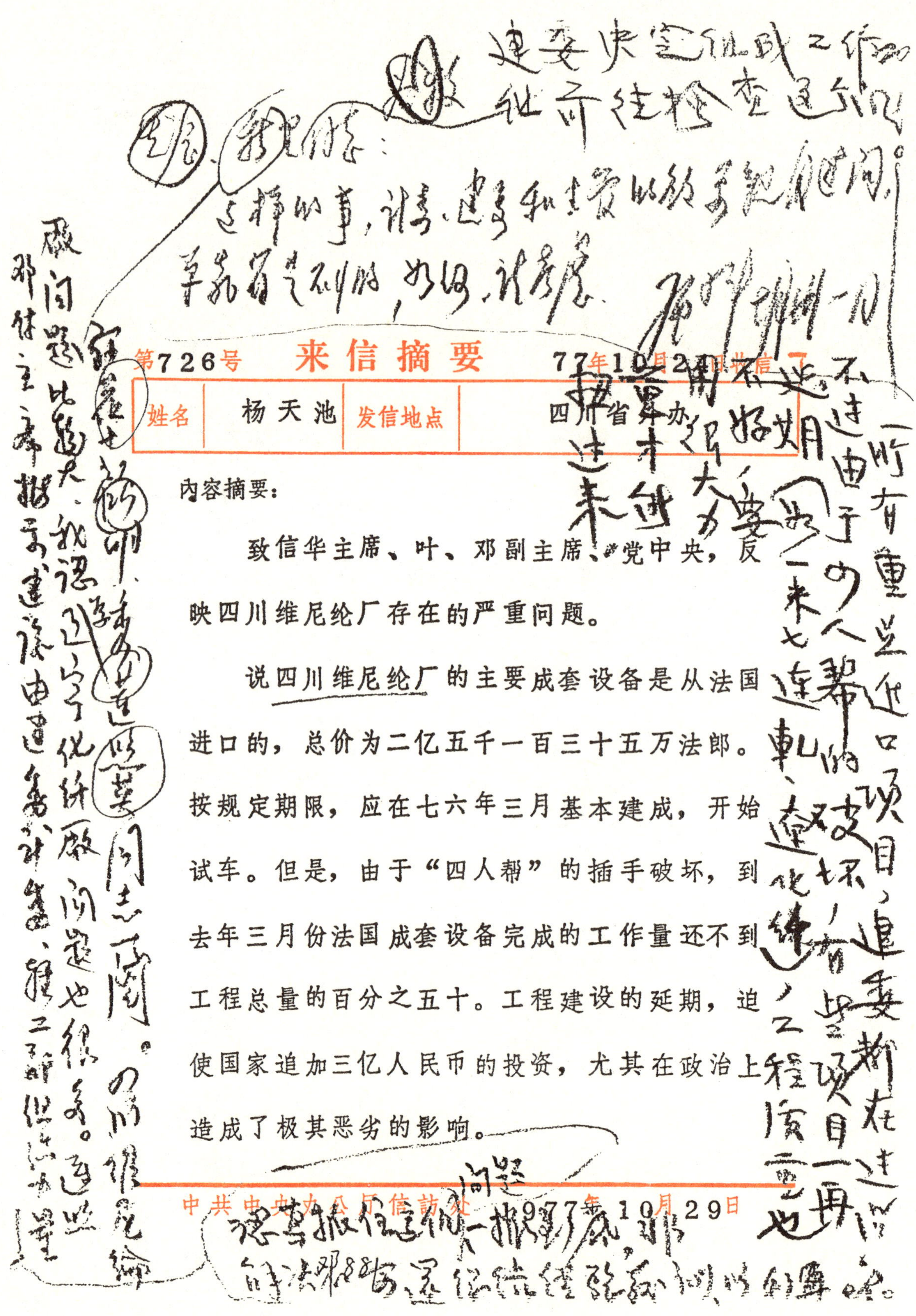
第726号　来信摘要　77年10月2□日收信

姓名	杨天池	发信地点	四川省革办

内容摘要：

致信华主席、叶、邓副主席、党中央，反映四川维尼纶厂存在的严重问题。

说四川维尼纶厂的主要成套设备是从法国进口的，总价为二亿五千一百三十五万法郎。按规定期限，应在七六年三月基本建成，开始试车。但是，由于"四人帮"的插手破坏，到去年三月份法国成套设备完成的工作量还不到工程总量的百分之五十。工程建设的延期，迫使国家追加三亿人民币的投资，尤其在政治上造成了极其恶劣的影响。

中共中央办公厅信訪处　1977年10月29日

请中组部对这起事予关心，要求抓紧对每件事作出恰如其分的结论，这不只是对本人，对其家属亲友都是关系很大的，拖不是办法。

邓小平 十月廿四

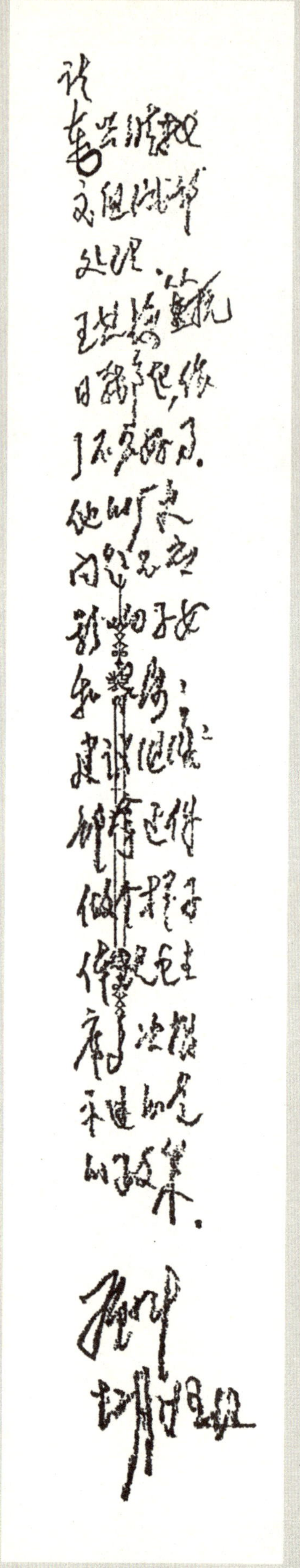

编好教材是提高教学的关键，要有足够的合格人力物力保障

所提要求，我同意。

人民来信摘报

一些外国留学生要求与中国学生加强接触

北京语言学院玛丽雅等六十三名外国留学生给邓付主席来信说，他们认为学院应当保证中、外学生之间有最大限度的接触，外国学生和中国社会有最大限度的接触。这样可以提供互相学习对方语言的机会，对双方都是有利的。过去五年中，每

此函应予重视，
由教育部调
查提出方案
（不是一般问题）

邓
[illegible]

这个意见好，华、汪阅后交教育部考虑。

好　　　邓小平　9月12日

小平同志：

去南斯拉夫回国后，听说经您批示，人民大学复校工作已有了进展。我有一个想法：重建后的该校，不应基本上恢复到文化大革命前的老样子，而应该在培养目标、专业设置、课程内容等方面面目一新，才能适合加速四个现代化的要求。如经济管理各系要能培养出具有比较丰富现代化生产知识的精明能干的管理人才（过去我们的学校从来不重视训练学生使之精明能干）。但现在我们既没有适用的教材，也没有胜任的教师。因此迫切需要我国先进经验和研究外国现代化管理的经验，尽快写出教材，训练师资。理论各系也要研究如何克服过去教

找教育部过问一下（选拔和培养人才很重要）

邓 八月卅日

根据毛主席的教导和章程、纪律这类性质的文件，以不写个人为宜，故在第三条作了一些修改，请审议。邓小平九卅。

请林乎加同志过问一下这件事。

落实政策，困难重重，此一事例。

邓小平

三月八日

我看这些意见都很重要，问题是，每一项都应认真落实，力避拖延。

邓小平 9月廿七日

请中纪委抓紧处理。
以此为例，作一
大案处理。处理
要坚决，所有牵涉
的人，包括省委书记在内，应即停
职，听候审查（审查结果，如无责任，
当然复职）。

邓 三月四日

广林同志：每年四十万元，为数不大，完全纳入国家计划。地方做好规划和地面工作，保证质量。[illegible]

中华人民共和国林业部

印送

请宋平同志研究。在组织好实验的前提下，尽可能这样做。请将研究结果告我。

邓付主席：[illegible]

四月二十六日，万里同志找我谈话时指示：小平同志很关心飞播造林，你们要认真抓好。为此，部党组作了专题研究，向国务院写了这份简报，并报您阅示。

我长期在基层工作，知识面很窄，工作经验不多，政治思想水平很低，担好林业部这付重担必然会有很大困难。我决心努力学习，勤奋实践，决不辜负中央的期望。恳请您随时给予指教。

我来京时，广安县的同志们托我向您问好！谨此转候。

祝好！

林业部　杨钟

七月九日

现为林业部长，杨当过广安县委书记，来北京前是四川省付省长。

已阅

宋平阅

[illegible]

中国人民政治协商会议章程修改草案

（根据全国政协委员和各地政协提出的意见和建议的修改本，供审议用）

政协章程修改委员会秘书处

总　纲

中国人民在长期的革命和建设进程中，结成了由中国共产党领导的，有各民主党派、无党派民主人士、人民团体、少数民族人士和各界爱国人士参加的，包括台湾同胞、港澳同胞和国外侨胞在内的全体社会主义劳动者、拥护社会主义的爱国者和拥护祖国统一的爱国者的广泛的爱国统一战线。

中国人民政治协商会议是中国人民爱国统一战线的重要组织。一九四九年九月，中国人民政治协商会议第一届全体会议代行全国人民代表大会的职权，代表全国人民的意志，宣告中华人民共和国的成立，发挥了重要的历史作用。一九五四年第一届全国人民代表大会召开后，中国人

1

这件事，要坚持廿年，一年比一年好，一年比一年扎实。这个报告令人高兴。为了保证实效，应有切实可行的检查和奖惩制度。别的意见没有了。

邓小平

小平同志：

在您的亲自倡导下，全国五届人大四次会议决定开展的全民义务植树运动，已经整整一年了。为不占用您过多时间，现向您作一简短汇报，请审阅。

一年来，全民义务植树运动发展是健康的，起步是好的，取得了比预料还好的成效。人民解放军上下一致，行动迅速积极，营区内绿化及营区外义务植树普遍展开。今年全军“四旁”植树3923万株，是去年的200%；成片造林15万亩，是去年的194%；育苗2万多亩，是去年的296%。城市及农村都积极贯彻人大决议，城市动员面比农村比例要大。全国大中城市今年植树9500万株，比去年翻了一番。各地反映，这场运动声势之大，行动之快，动员人数之多，效果之显著，是建国以来绿化工作中少有的。义务植树有力地推动了整个造林绿化事业，今年全国造林的数量和质量均好于往年。

—1—

乔木同志：这篇文章写得很好，可在人民日报发表或转载，由教育部组织大专学生研读。文艺、理论界可组织自由参加的座谈，允许辩论，不打棍子。

邓小平 一月廿一日

小平同志：

送上在中央党校一月三日的讲话稿，请于有便时一阅。全稿三万多字，长了一些。但因涉及的问题至今还没有一篇比较有分量的文章加以解答，党内外都有这样的要求，所以很难用短篇来讲清。文章是集体创作，采取的是参加讨论的形式，态度力求和缓，四易其稿，费了两个多月的时间。已分送政治局书记处各同志请审阅。党校要求在该校所出理论月刊公开发表。究竟要不要发表，在党内发表或党外发表，并请中央决定。

胡乔木

一月四日

（5）关于驻军问题。在前段会谈中，英企图要我承诺平时不在港驻军，遇非常情况需驻军时亦须事先同特区政府磋商。我已予批驳，指出：特区的防务由中央掌管，中国有权在香港地区驻军，这是主权原则的体现。在驻军的方式和做法上，我将根据实际情况采取慎重、周密和妥善的安排。如英方再次提出，建议可重申我原则立场，不作松动。

政府

在港驻军一条，在港驻军，不能让步

邓注

我是中央的代表，任务是做上层统战工作，和领导广西全盘工作，包括布置。二、我在广西时，广西省委（不是特委）没有设主席。三、一九二九年底，回中央开会（回上海报告工作），中途绕香港住了两三天，那个报告，谈了左江[illegible]

中共广西壮族自治区委员会 党史资料征集委员会办公室用笺

小平同志：

我们正在查证、整理中央党史资料征集委员会交办的二战时期《邓小平同志在广西》专题资料，有几件事，请您在日理万机的繁忙中给我们指示。

一、您是一九二九年哪一个月到广西？现在有三种说法：

（一）一九二九年夏。《中国人民解放军大事记》："一九二九年夏，中共中央先后派邓小平、张云逸等去广西开展工作。"《聂荣臻回忆录》："中央于一九二九年夏，……另一方面还直接派邓小平同志到广西领导全盘工作。"

（二）七月。袁任远同志说："我是

我建议，可以这样定下来，并立即组织实施。
（今后会有缺点或不足，在实施中可以修改和补充）
耀邦、紫阳、陈云同志审阅，提政治局讨论批准。

小平同志并

耀邦、先念、陈云同志：

高技术研究发展计划（“八六三”计划）已酝酿讨论了五个月。四月间，由宋健、丁衡高同志组织一百二十四位专家，分十二个组，进行第一轮论证。五至七月，由“八六三”计划编制小组负责筛选和进行第二轮论证。八月十八日，国务院常务会议听取了计划编制小组的汇报。会后，专门就航天技术问题再次征求航天、航空方面部分专家的意见。八月三十一日到九月二日，由专家组组长会议进行第三轮论证。现已形成“八六三”计划的《纲要》、《领域和主题项目》、《汇报提纲》三个文件，一并送上，请审阅。

从世界高技术的发展趋势和我国的需要与实际可能出发，选入这个计划纲要的，共十五个主题项目，分别属于七个领域。这些都对我国本世纪末、下世纪初的国民经济发展和军事实力有着重大影响。文件中对每个项目，都概述了国内外背景，估计了可能产生的效益，提出了目标

请李先生转达对安德雷奥蒂先生的好意表示感谢，对李先生所作的努力表示赞赏。邓小平一九八〇年九月

最敬爱的邓主任：

在您和其他领导的亲切关怀下，中国学者同仁的积极支持中，"先进科技中心"即将成立，特来向您表示衷心的感谢。

"先进科技中心"所以能在短时间促成，一个主因是通过世界实验室的齐吉主席，得到意大利外长安德雷奥蒂（Giulio Andreotti）的大力支持，由意国捐助巨款使成为世界实验室的第一项目。

今年七月十二日安先生以意国临时总理的身份专机邀请赴罗马午宴，席间向周光召付院长和我详述他对中国文化的敬仰、人民的好感

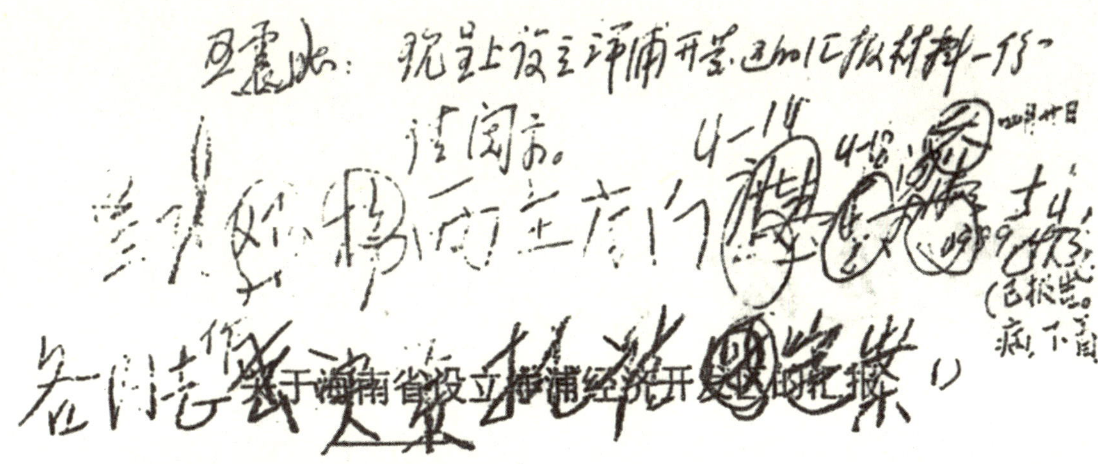

关于海南省设立洋浦经济开发区的汇报

尚昆同志并报小平同志：

自中央批准海南建省、设立经济特区的一年多来，我们一直研究如何结合海南实际，执行好中央对海南的政策。

海南天然资源较丰富，但基础设施极落后，要投入巨额资金，才能把能源、交通、通讯、供水等基础设施逐步完善。据专家测算，在15年左右，在海南的一些重点地区需要投入二千亿元，平均每年需一百三十多亿元，才能使海南经济有较大发展，赶上先进地区。在相当一段时间，国家和我省是不可能筹集这笔开发资金的。

中央多次指示我们：海南经济特区的开发和建设资金主要以引进外资为主，并规定了吸引外资的各项优惠政策。在引进外资的形式中，特别指出，可以让外资承包成片开发，综合补偿，鼓励外资投入基础工程的建设。

在洋浦设立经济开发区，是在这一背景条件下提出来的。洋浦在我省西北部的儋县，它面临北部湾，按照自然条件，规划发展成重化工、盐化工和建材工业基地。要实现这一规划，需要投入资金五百亿至六百亿元

提　纲

邓小平同志在重庆庆祝党生廿九周年纪念大会上的讲话稿

同志们！

西南解放半年了，在这半年中，我们廿万党员、六十万人民解放军指战员和所有革命干部同人民在一起，进行了艰苦的斗争和紧张的工作。在这半年的时间内，无论在军事方面，财政经济工作方面，文化教育工作方面，统一战线工作方面，群众工作方面，在干部和部队中，都获得了很大的成绩。我们绝大多数同志都是夜以继日的工作，他们一心一意地为着党的事业和人民的事业，不避艰险，任劳任怨，并且有若干党员和革命战士付出了光荣的牺牲；他们诚心诚意地为人民办好事而不计个人的享受，他们在工作中难免发生错误，但是他们善于接受别人的批评和运用自我批评的武器，勇敢的改正错误，他们对于中央

七一的报告

和上级的指示采取精心学习的态度，以便于不破地运用到实际工作中去；他们无愧於人民。斯大林说过：共产党是用特殊材料做成的新型的人物，我们绝大多数共产党员是符合於这种特殊人物的标准的。没有他们，党的任何正确的革命命令会归於无用，他们能使计划命令变成一纸具文，人民翻身就会成为不可能的事情。因此，在庆祝党的廿九周年纪念的时候，应该向他们致敬，应该感谢他们的努力！

但是，同志们！我们党内也有另外一些党员，他们入党的动机是不纯的，他们加入党，不是来革命，不是来为人民服务，而是因为共产党已经成为领导执政的国家的党，想利用共产党员的地位，来达到他们升官发财、贪污腐化、荣华富贵，甚至保护封建势力、破坏革命、压迫人民的目的。这种人在我们党内，虽然不多，可是他们的行为对于我们的革命事业有不少的损害，我们应该有所警惕。对於那些由於胜利冲昏了头脑，而政治上迷失方向，產生蜕化思想的同志，应该热忱地帮助他们改正错误，把他们从泥坑中挽救出来，但对于那些暗藏在党内的阶级敌对分子，对于那些屡经教育不知改悔的贪污腐化分子，对于那些重犯的害群之马，就必须清除出去，以保持党的纯洁性。

除了这些少数的品质恶劣的分子之外，我们绝大多数同志都是好的。但是，正如毛主席所说的，我们都是一些有缺点的布尔什维克，人人都有缺点，只有大小不同，而现在着重带有普遍性的缺点，就是官僚主义、命令主义和在统一战线中的关门主义。我们领导机关和领导干部的官僚主义，即使是事务主义的官僚主义，正因为它是脱离群众和脱离实际的，就必然要使我们的事业受到损失，并使下面工作同志遇到难以想像的困难。我们许多同志所犯的命令主义错误，有的是由于不了解完成任务的急迫性，有的是不懂得进行工作的方法；有的是由于反动分子的破坏和地主恶霸的操纵所利用；有的是因为工作作风就有毛病，只相信自己的狭隘经验，不学习上级政策和政府法令，只相信个人的本事不相信群众的力量；有的是还保存有封建思想的遗毒，也有个别的人品质不好，好以胜利者自居，喜欢坐在人民头上摆架。不管原因如何，其结果总是一样的，就是必然大大地脱离了群众，损害了党的信誉，违反了党的政策和人民政府的法令，完成不了工作任务。我们有些同志中的关门主义倾向，是不懂得统一战线是决定中国革命胜败的基本环节之一。他们不懂得所说有团结四个朋友才能战胜三个敌人才能建设新中国的道理，他们不懂得中国这样广大一个国家，这样落后、那么多人手工业，不是四百五十万共产党员单独包办得了的，他们往往把党了解为一个狭小的宗派团体，而不是一个领导中国革命的群众性的政党。他们往往夸大党外人士的缺点，不善于或不屑于与党外人士共事，不善于在工作中以自己的模范作用去影响党外人士进步，而对于自己的骄傲作风和违反党的统一战线政策的重大的原则性的错误，却漠然无知或采取自我原谅的态度。他们往往在工作中把自己孤立起来而又以为自己总是对的人家总是不对的。他们对于人民政协共同纲领和中央人民政府的政策法令往往不及党外人士熟习，学习精神往往不及党外人士好，可是还要骄傲自满有时甚至不讲道理。所有这些都必然要损害人民的团结，损害我们共同的事业，损害党的领导作用和党的政治影响。

我们的官僚主义命令主义和关门主义，如果不加以克服，将不但脱离群众，损害革命工作，完成不了任务，而且会给敌人以可乘之机。我们的敌人并不愚蠢，因为他们在人民中早已威信扫地，他们唯一的本钱，就是寄托于我们共产党员多犯一些错误，以便于他们抓住这些错误，鼓动一部分落后群众反对我们，并破坏中国人民大团结的统一战线，

3. 阻碍人民事业的前进。西南的封建势力也利用我们这些弱点，大喊大叫起来，企图用以抵制人民政府的法令，更多更久地保持他们的封建特权和在乡村中的统治基础。他们对于我们有这些错误是很欢迎的。但在另一方面，我们的朋友却为我们同志的这些毛病而感到忧虑，他们提出了许多有益的批评和建议，我们应该感谢他们的友谊的帮助，我们应该勇敢地批评自己

的缺点，我们正在进行的全党整风运动，就是为着这个目的，而且一定能够达到这个目的。

同志们，我们是有缺点的布尔什维克，可是我们之所以既是有缺点而又能够为布尔什维克，只是因为由于我们敢于去把自己的缺点，并有决心去改正自己的缺点。

同志们，西南匪特还未肃清，封建势力原封未动，人民生活还未改善，多种困难还多，我们面前的斗争是艰巨而复杂的，我们绝不能松懈我们的斗志。我们要紧紧地掌握着批评和自我批评的武器，发扬优点，改正缺点。我们要紧紧地团结工人阶级、农民阶级、小资产阶级、民族资产阶级和其他爱国分子，紧紧地团结解放军和人民群众，共同努力克服困难，艰苦地建设新西南！

同志们！努力学习马恩列斯的学说，努力学习毛泽东思想，在马列主义和毛泽东思想灿烂光辉的照耀下，引导群众胜利的前进！

1

在城市工作会议上的报告提纲

一九五〇年十二月廿一日

（三）工厂管理问题。

关于国营工厂矿山的管理这问题，陈毅同志的报告都说到了。

我们很早以前就提出了"依靠工人，团结职员，搞好生产"的口号，这是办好工厂的关键。我们不少的军事代表工作组乃至工会干部，至今还不懂得这个口号，他们不去发挥工人和职员的积极性，甚至对工人职员采取不信任的态度。有些同志还要对把自己不懂的技术问题或管理问题，使用"最后决定权"。官僚主义命令主义便由此滋长。现在好了一些，但这个仍然是干部中的最大的毛病。不继续反对官僚主义和命令主义，我们就不可能做到依靠工人团结职员来搞好生产。

从路线说，不依靠工人，就不可能团结职员；一般职员总是在工人起来以后，才逐渐向我们靠拢。而且要工人在生产方面有了一些成绩的时候，才会向我们心悦诚服地靠拢起来。

中央指示我们：要管好厂矿，必须实行"管理民主化"和"经营企业化"。所谓管理民主化，必须具体体现在"依靠工人团结职员"上，尤其是具体体现到工会、工管会、职工代表会这三种组织形式中。否则就谈不上什么民主化，就没有什么民主的内容。现在许多工管会是形式的，工会或者不起作用，或者被工人称为"军事代表的尾巴"。职工代表会一般只在困难时开，很少经常到生产经营和财

9

工会把这些问题去开，尤其很少定期召开。即使召开了这些会议的，也多半是由军事代表去训话一番。这种状况必须纠正。

所谓经营企业化，也只有在实现民主化的基础上才有可能。工业部确定的合理化建议及订立集体合同两件事情做得还不够的，促进了这些步骤，启发了群众的智慧和积极性，才有可能计算成本。当着一个工厂还没有本着年计算的时候，就谈不上上了轨道，也谈不上经营企业化。

经济生产经营是必要的，但必须在具备了生产有计划，有原料，有销路，都有了一些基础这些条件的部门才可专设实行。在西南情况来说，条件多不具备，故不宜普遍地实行。

为了管好现有的厂矿，还须：第一，尽可能地从机关中节约一些人力去充实厂矿中去。第二，领导上注意选择重点，典型试验，总结经验，指导其他。西南数量多的厂矿共有一九二个，用这个办法一定可以做出成绩来；第三，在地委、县委集中于农村斗争，而且能力不够的情况下，较重要的厂矿不能要把他们去管理，而应由省区党委、市委直接管理。因此，各省区市党委应设工业部或指定一位专门负责管工业。同时在厂矿应设立企业党委及工会、青年团（除綦江江津区），有三个干部就够了，有了专人负责，就好办了。

除了国营企业外，各省区市对于地方工业的指导必须加强。目前由于国家财力的限制，办很多大工厂不可能，但小型工业的发展是可能的，我们对此应采取积极的态度。各地可根据本区（一定从本区内着眼）的条件（原料、销路等），或由地方投资，或组织私人资本，或组织机关生产等办一些可办的小型工业，好好的经营这些事业。至于原有的某些小厂，既无原料，又无销路，则应转变生产方针或考虑停业。

我们有些厂，现在还不能做到收支，必须积极

11

打开出路，将生产力用之於有用的方面。

对於私营企业，过去的方针是正确的，仍应在依靠工人团结职员搞好生产的基础上，用劳资协商方式，推动其进一步的改革。

(四) 工会工作。

蔡树藩同志的报告都说到了。

西南工人，包括一部份手工业工人在内，据估计有一百六十万，现在组织到工会中的约卅万，仅占百分之十九到廿。手产业不很好，约组织了工人百分之六十五到七十。可是起作用的，真正积极工人所在的工会组织还不多的。

在工会组织中，存在着严重的官僚主义和形式主义。官僚主义的根源是不相信工人。形式主义则表现在工会生活不民主，不面向生产，不重视工人的福利，因而得不到工人的信仰。当然也有一些好的，但为数很少。

当前工会的工作：第一，必须进一步的组织工人到工会中来。首先应集中力量在工厂、矿山、交通、市政、和店员中去发展工会会员。

第二，必须坚决的吸引本地本厂的工人积极

应经常到工会各级领导机关中来，以加强工会与工人群众的连系，改变工会脱离群众的现状。有些工会的领导机关，冗员比重过大的情况，也应改正。

第三，建立工会的民主生活，克服官僚主义。工会一级组织，就应用代表大会或会员大会选举工会领导机关。工会必须善于听取工人的意见和建议，并作认真而妥善的处理。

第四，必须加强工人中的文化教育工作。就长远来说，工人教育应以文化技术为主，但目前情况说，仍应着重政治教育，同时注意文化技术教育。

第五，必须注意工人的劳保和福利。今后仍应防止过高的要求，但更重要的是批评一些同志忽视工人福利的思想。同时要批评福利工作中的恩赐（即不经过工会和工人的讨论）观点。

13

(五)城市建党问题。

现在各地的普遍倾向，是忽略了城市的建党工作，把谨慎发展党的组织，变成了不注意发展党的组织。

城市发展党员主要在工人中，而我们党内，有些人甚至看不起工人的（这与他们出身于农民小资产阶级有关）。重庆前一时期计划入党的工人要经过两三个月的审查，只批准了六个；以后由市委组织部直接过问，才发展了一部分工人党员。

于江震同志报告中提出的计划是恰当的，在今后半年内，在重要厂矿的卅万工人中，吸收百分之七，即约两万人入党，是必要的，也是可能的。除厂矿外，在学校、机关及其他各区中，也应作个别的吸收，具体则应更严格些。

西南一律实行公开建党的方针，凡未公开的党的组织应即公开。建党的步骤是先慢后快，谨慎的个别吸收，既要反对关门倾向，又要反对拉夫主义。一开始就要把根子扎正，就要严肃党的组织和生活。

反对不重视发展团的组织。目前的偏向也是关门主义。

(六)关于资产阶级。

中国资产阶级的特点。

我们对待资产阶级的态度是又团结又斗争，斗争是为了达到团结的目的。在工人阶级领导的政权下，争取尽可能多的能够和我们合作的自由资产阶级及其代表人物站在我们方面，或使他们保守中立，以便和帝国主义、国民党、官僚资产阶级作坚决的斗争，一步一步地去战胜这些敌人”。无论在政治上经济上，一味强调资产阶级的思想是错误的、危险的。在西南解放初期，确有些左的倾向，现在五月间的调整工商业中，又发生了一种不敢对资产阶级作必要的斗争的右的倾向。

我们与资产阶级的关系，主要在税收、劳资和公私关系三方面，同时农村减租退押与土地也关连着他们。一般资产阶级对劳资总是讲一利，对公私也不讲重视的，对税收总是叫重的。而我们对此

15

须很妥地宣传"减租"、"退押"政策，既不应多收，但也不少收的政策。

在四五月间，私营企业确实困难，我们实行了坚决调整的方针，如果那时不那样做，就会形成大批的关厂歇业，于工人职工、于国计民生都极不利。所以这个方针（中央确定的方针）是正确的。认为这个方针错误的意见是不正确的。

今后仍应继续这个方针，即在税收方面，坚持不多收也不少收的政策。凡属不合理者，应主动调整；凡属合理者，必须坚决征收，并必须随地区做好，以保证税收任务的完成。在公私关系问题上，坚持兼顾的政策，必须在加工订货、市场价格等方面，促使资方进一步的改善其经营的机构。同时在西南还应适当加强国营工商业，以增强国营经济的领导力量。在劳资问题上，过去我们说服工人适当减低工资，以渡过难关，这是完全必要的。七月以后，工商情况开始好转，即应再度降低工人生活，而应从改革企业机构，努力生产中去达到工厂的收支平衡。在资方无利可图的厂矿，仍应说服工人不作过高的要求，但在资方有利可图的厂矿，就应该适当的恢复一些工资和一些福利。

除在各方面要掌握正确的政策之外，我们必须多向资产阶级做些工作。经验证明，多做一分工作就有一分效果，不能只指摘资产阶级及其代表人物的毛病，应加帮助。工商联合会的工作应该加强。

对工商界的退押，应作实情的考虑，一般可采取在半年以下的时间内分期退还的原则。

1

报告要点

（一）一九五二年的工作。

一九五二年的工作任务，仍然是艰巨繁重的。

朝鲜战争还没有停止，~~支援志愿军的任务是繁重的~~，要增加生产、厉行节约以支持中国人民志愿军。

财政状况向我们提出了从精简节约中来保证物价稳定的责任。

一九五三年即将开始国家的计划建设任务，我们要同全国各地一道，完成各项准备工作。

因此，明年必须完成下列工作任务。

（甲）四川、西康全部在明年四月以前，贵州、云南在年底以前，完成土改任务。

（乙）军队在明年三月以前完成精简任务。

（丙）在明年内完成一百人以上的公私工厂

2

企业，和码头、搬运、建筑、木船及其他重要行业的民主改革。

（丁）抽调干部到大中学校，准备明年（一九五二）完成教育改革。青年团则应加强小学教师联合会的组织工作。

（戊）继续镇压反革命，在明年六月以前完成清理内层的工作。

（己）在六月以前完成整党，并准备进行一次整风。在明年内发展党员十五万（其内发展工人党员一万五千），发展团员卅万。

（庚）其他统战等项工作，仍按今年的方针进行。

3

(二)提倡节约，严禁浪费。

这是保障朝战胜利的方针。

这是積累资本，加速国家工业化的方针。

这是树立国家和人民的良好风气的方针。

这是当前稳定物价的可靠保证。

而现在浪费（也有严重的贪污）现象是全面的，极其严重的。

实行这个方针的办法是：

(甲)节约兵力，减少开支。

(乙)精简机构，减少人员。

(丙)紧缩开支，清查资财。

(丁)提倡节约，严禁浪费。

(戊)保证税收，严格缴款。

各级党委必须认真的领导这个运动，每个部门和单位都要订出计划，实行检查，逐级报到。

4

（三）土改及土改后的农村工作。

土改按原计划拟，即在明年春耕前四川、西康全部，贵州大部、云南三十四个县（占人口半数以上）完成，其余在年底以前完成。

完成土改必须包括分山完毕。

土地证以在查田之后颁发为宜。

土改完成之后，应普遍地实行一次查田运动，查田运动的内容包括下列各项，即：(1)处理遗留问题，进一步地发动群众，对于土改后分之工作不好的乡村实行补课，(2)评好产量，打下农业税的巩固基础，并刺激农民积极性，(3)颁发土地证。查田工作不宜拖得太长，一个乡以不超过廿天为宜。

邓小平手迹选

提纲

1 在"三反"和"五反"的胜利基础上前进一步

三反五反历时五月，现在已到基础结束或接近基本结束的时候，需要检讨一下，提出任务，使在胜利基础上前进一步。

（一）

三反五反是同时进行而又互相配合的。

卷入三反的党政企业工作人员约四十五万人，进行五反的城市和重要集镇共近三百个。

运动是广泛的深入的。

（一）

在三反运动中：

清查出了大批贪污分子；

暴露出了严重的浪费现象，

揭发出了许多不可容忍的官僚主义现象。

这些事实说明了运动的必要性和正确性，

only能使到群众都受到了深刻的教育。

2　经过三反：

浪费大大减少，

打击了一些官僚主义现象，

拖救了大批贪污分子，

进一步地纯洁了队伍，

挽救了许多落后分子，

工作效率提高了，树立了新的风气。

在五反斗争中：

清除了五毒，

产生了一批"很正派""很进步"的经营企业家，

发动和教育了工人阶级，纯洁了工人队伍，

巩固了工人阶级领导，

巩固了统一战线。

五大的收获是划清了思想界限。

所有运动的经验：

主要部分是依靠群众，发动全体群众， 政策明确，

主要发动和依靠了群众，

及时的纠正运动中的偏向。

3

三反五反的收获是伟大的，运动是健康的。

但在几个重要问题上，应在思想上加以阐明讲清：

对资产阶级的认识问题。

继续克服官僚主义问题。

克服小资产阶级个人主义的倾向问题。

如此，才能在三反五反胜利基础上，在各方面推前一步。

结束三反各项重要工作

(一) 定案退赃。

(二) 批判资产阶级思想，划清资产阶级与工人阶级的思想界限，改进三反运动中所暴露的工作缺点，以便从思想上组织上制度上巩固三反运动的成果。

发言要点

（一）我完全同意少奇同志的报告。报告对于三中全会以来中央政治局工作的估计，是恰当的。对于"关于增强党的团结的决议"草案的解释，是明确而得当的。

（二）我认为在中央和毛泽东同志明确地规定了过渡时期的总路线的时候，作出这样一个增强党的团结的决议是完全适时的和完全必要的。

这不只是因为整个过渡时期的革命内容（社会主义革命即社会主义改造）比之新民主主义革命更为深刻更为广泛，斗争极复杂极尖锐，国外帝国主义、国内已被打倒的和即将被消灭的阶级一定要千方百计的来破坏，所以需要我们党比过去更加坚强的团结和更高的战斗力，来保障过渡时期总路线和总任务的实现；更重要的是因为在新民主主义革命胜利之后，由于我们所有方面的工作都获得了巨大的胜利，特别是在我们党内，特别是在党的高级干部中滋长着一种骄傲自满的情绪。这种骄傲情绪如果不及时克服，那会使我们丧失敌情观念，而麻痹大意起来，那我们

3

就必然丧失斗志，而经不住敌人的袭击，甚而使我们的伟大事业遭到失败。

决议草案，正如报告所说，不是无的放矢。它当然是有所指的。它当然根据了具体的事实，指了具体对象的。但它主要是指的在现阶段党的必须注意的一个重要问题，必须防止和克服的一个重要的倾向。不能理解这个决议只是针对个别的人，而对于我们自己的工作和自己的言行疏于检查和警戒。

我认为骄傲自满情绪在党内，主要在相当一部分高级干部中，正在滋长着，如不注意克服，它会发展到一种可怕的危险的地步。

正如决议草案所说："在中国革命胜利以后，党内一部分干部滋长着一种极端危险的骄傲情绪，他们因为工作中的若干成绩就冲昏了头脑，忘记了共产党员所必须具有的谦逊态度和自我批评精神，夸大个人的作用，强调个人的威信，自以为天下第一，只能听人奉承赞扬，不能受人批评监督，对批评者实行压制和报复，甚

决议草案对于党内骄傲自满情绪的说明很恰当，我现在就这个问题说说我们的意见。

4

去把自己所领导的地区和部门看成地盘，看成是他个人的资本和独立王国。”

骄傲一定会使党的团结受到损害，革命事业受到损害，而对个人来说，它是一种腐蚀剂，它可以引导到个人主义的发展，把一个满腔热忱地勤勤恳恳为人民服务的共产党员的高贵品质堕落到资产阶级的卑鄙的个人主义方面去。

骄傲会对一个人自己在革命中的作用和贡献产生不正确的估价。总觉得自己了不起，总觉得党和别人对他重视不够，没有温暖，反而觉得那种会捧捧拉拉吹吹拍拍的人对他很好，很有温暖。

（事实上我们自己没有什么了不起，我们只不过是一个小学生。我们出发，总要同有关部门的人接触，不能看作是一个人的。就觉得自己的能力有限的，常常犯错误，在中央及同志们帮助。）

骄傲会把自己所领导的工作或地区，摆在一种不恰当的错误的地位。在中央与地方关系上，在中央各部门工作时，往往会忽视地方的实际状况和地方工作同志的意见，自以为是，而乱拿帽子向下戴，在地方工作时，往往会对全局照顾不够，对中央各部门的状况照顾不够，自以为是，总以为理在地方，而觉得头上戴着帽子很不舒服。在部门与部门

在受表扬时尤其要警惕

不敢交检查，不敢受批评。

事实上工作上的错误是不可免的，说没有错误那才不会有

之间，地区与地区之间，往往只看到自己工作做得好，不大看见别人别地区的工作也做得好，特别遇到表扬多一点的时候，往往有点飘飘然；在对待与其他部门其他地区的问题上，往往多注意到自己方面的困难，忽视对方的困难，不大注意照顾别人，甚至一点亏也不愿吃。对同志之间，往往看自己的长处多、缺点少，而看别人的缺点多、长处少，往往对于一些非原则的甚至是一些技术性质的问题，也斤斤计较，互不相下，不善于让步、不善于等待。

骄傲，特别是高级干部的骄傲，是不能不使党的团结和党的工作受到损害的。在革命胜利后，有些现象是很不健康的，毛主席所规定的在多年来行之有效的革命赖以胜利的那些党的原则，对待党和领导上谦虚谨慎的态度，（例如：开展批评和自我批评；从团结出发，经过批评和斗争达到团结的目的；对人要善意的态度和治病救人的方针；照顾别人别部门别地区，照顾大局……）常常被我们忘记

6

了，很少有人提起了。而在另一方面，与这些原则相违背的现象，反而在滋长着，我们常常闻到另外一些味道，例如：把某些个人自己夸大到和实际情况極不相称的地步；不愿受检查受批评，批评和自我批评的空气稀薄；不注意团结；对犯错误的同志不是採取治病救人的态度；自以为是，不大听别人意见，不大照顾别人……等等。过严重的，是一些同志对于领导中央威信的忽视，有些对于中央领导同志的批评，有时是超越到党的组织所不能允许的程度，（在一定场合是允许对中央及领导同志进行批评的，有意见不谈也是不正确的）我也风闻到对中央几个主要领导同志的一些不正确的言论，而在这个会议以来，特别是对少奇同志的言论更多。我认为少奇同志在这次会议上的批评是实事求是的，是恰当的，而有些传说，则已不像什么批评和自我批评，而像一些流言蜚语了。（例如对过去阶级问题、党的性质问题等等 富农问题）

7

我们能把维护中央威信和维护中央和几位主要领导同志的威信分开吗？而对于一些主要领导同志的越过组织的批评，竟未引起我们的反对和制止，难道这不是我们自己的思想性的和自己的骄气问题吗？难道不应当引起我们自己的警惕吗？

以上是就一般性质的骄傲而言，如果我们沾染了骄气，我们就不能前进，我们就不会兢兢业业的工作，在工作中就不可避免地要犯严重的错误。而如果不加改正，任其发展下去，我们就经不起敌对阶级和敌对思想的任何的袭击。

当然，骄傲还可以发展到严重的结果，如同少奇同志报告中所说的：“只要党内出现了个人主义的骄傲的人们，只要这种人的个人主义性质不受到党的坚决的制止，他们就会一步一步地在党内计较地位，争权夺利，拉拉扯扯，发展小集团的活动，直至走上帮助敌人来破坏党、分裂党的罪恶道路。”难道不应引起我们的警惕吗？

8

我认为四中全会的决议，对于某些犯有严重错误的同志是很重要的，并且给了这种同志以改正错误的机会，是对这种同志的最直接的帮助，这是完全正确的；但是，我认为全会的决议是对过渡时期总路线和总任务的最有力的保障，是对全党同志主要是对我们所有高级干部（我自己就是这样感觉的）的最大的帮助，它是一付清毒剂，它能提高我们每一个人的阶级觉悟，它使我们提高警惕性，它使我们党的团结更加巩固，党的战斗力更加提高。

毛主席告诉我们说：七大以后，由于党在思想上政治上组织上的高度统一而形成的党的空前的团结，使全党信心百倍，士气旺盛，因而取得了中国新民主主义革命的胜利。

毛主席告诉我们说：这次会议的主要收获是使全党高级干部认识了党在过渡时期的总路线。无疑地，四中全会的决议，将保障党的更加团结和一致，将使我们有更高的信心和更旺盛的士气，来完成社会主义革命阶段的伟大历史任务。

仔细检查起来，工作中错误缺点是不少的，马列主义水平是不高的，对中央工作的助力不[illegible]，个人主义的错误是存在的，处事对人也有毛病的。决议对于我们这样的人，尤其是犯错误的人，对刘……。

很好。毛泽东 四月三晨四时

邓。送小平同志

两个问题的说明（要点）

（一）关于经济工作；

（二）关于国家机构的人事配备。

关于经济工作。

这次上海会议对于去年十二月武昌会议确定的1959年计划指标，有一些修改。主要是：

1. 钢，武昌会议定为2000万吨，对外公布为1800万吨，现在确定为1800万吨。

2. 煤，武昌会议定为四亿吨，对外公布为3.8亿吨，现在确定为3.8亿吨。

3. 根据钢煤数字的变动，相应地变动了一些其他主要工业产品的指标，其中主要的有：生铁由2700万吨降为2400万吨；钢材由1400万吨降为1150万吨；发电量由495亿度降为410—420亿度；发电设备由600万瓩降为350万瓩。

（不包括简易机床的）全年切削机床由[illegible]万台降为 万台。其他项目有的没有变动，有的变动很小，有的还有增加。

（4.基本建设项目由 个缩减为 个，基本建设投资由360亿元减为 亿元。）

5.粮食、棉花，武昌会议已经公布的数字不变（粮食10500亿斤，棉花1亿担）。但是考虑到农业还受着一些客观条件（如气候，工具改良不多，化肥仍然很少，等等）的限制，为了有一定保险系数起见，粮棉以外的其他一些农产品产量指标，都有一些降低（如大豆由420亿斤降为 亿斤；烤烟由1935万担降为 万担；花生由22,635万担降为 万担）。这样，即使由于天气或其他原因，粮棉或其他项目不能完全达到原来的计划，但从农业总产值来说，可以相当，或者相差不会很多。

为什么要作这样些变动呢？这是因为经过了第一季度的实践，看来我们原来规定的某些生产指标大了一点，基建项目多了一点，而原材料生产的发展是有限度的，不可能保证这样大的生产指标和基建规模，如果

3

例如生铁不减少三万吨，则与此相适应的采矿、冶炼、焦煤等生产和基建项目都不能削减。例如基建项目越多，重点项目就越不能保障。

不实事求是地加以变动，势必在原材料和设备不能如量、如质、如期保证的情况下，使本来不多的原材料更加分散使用，结果引起连锁反应，各方面都完成得不好，重点不能得到保证，一般也不能不受影响。现在看得很明白，如果不根据客观的可能来制定计划，就难免在执行的过程中作一些不适当的安排，造成一些人为的困难，其结果不是搞得更多，很可能是搞得更少。必须充分发挥人的能动性，但这是受客观实际的可能限制的。如果我们不比较充分地认识客观的可能，制定一个落后于可能的计划，并且充分发挥人的能动性去完成和超额完成这个计划，那我们就会象一九五七年那样，犯保守主义的错误。如果我们过分夸大人的能动性，制定一个人们难于实现的计划，那我们也会犯主观主义的错误，同样不利于工作的发展。

我们希望多搞一点，这是可以理解的，这种热情是可宝贵的，但是，

我们在国际上是高举反帝 革命 无产阶级

国际主义的旗帜。高举世界和平的旗帜。

要能把这把旗举起，

决定于把国内工作搞好。

搞好国内建设和工作，

决定于党的领导。

我党有这好——

有好的领导思想，以毛泽东思想为代表

的指导思想。马列主义普遍真理与中国革命实践相结合

的思想。

有好的中央，以毛泽东同志为首的党中央，

经过廿年的历史证明是好的中央。

不是也有缺点错误吗？

中央好，正是它察觉到自己的缺点，及时

发扬民主，修正错误，会是一个

郑重的党的标志。

（苏联党恰恰不能自我批评）

有大批好的骨干，

这指大批新的骨干了。

特别以上这些骨干，大多数是经过长期

革命斗争锻炼出来的。又有十年的

经验。

有好的传统

好作风——理论与实际结合，联系群众，批评与自我批评。一定要发扬党的作风。

有理想、有纪律、不怕死。（这就是过去几十年有些人对党抱有坚定信心的原因）

有一套健全的党的生活制度。

民主集中制。

团结—批评—团结。

不搞过火斗争，冷酷打击。

惩前毖后，治病救人。

艰苦朴素。

所以党是团结的，统一的，有战斗力的。

有好的人民，人民对党有很大的信赖。

人民是我们的家

近几年，我们一些同志丢掉了党的优良作风，有人说"党员变了四变"？

一、解放思想 开动机器

理论的重要

实践是检验真理的标准——一个理论问题

实事求是 理论和实际相结合 一切从实际出发

全党全民都动脑筋

二、~~权力下放~~、发扬民主、加强法制

对会议评价：民主集中制的中心是民主，特别注意这一时期

民主选举、民主管理（监督）

政治和经济民主的统一，目前一时期特别是经济

实现政治

权力下放

中央与地方：扩大权力 国家计划的前提 主要依靠经济

引进技术学习（先进管理）要细节

三、向后看是为了向前看

不是一方面：解决遗留问题要快、要干净利落，时间不宜过长

一切向前看 要照顾些细节

不可能都满意

要多派人出去，迟了不利、

毛主席 政策　安定团结 打倒四人帮、
要大局为重、
把我们的组织，除掉四人帮、学好经验 改了就好

四、克服官僚主义 人浮于事、
一批尖兵做出示范、
几多　　行了人会小办、
用经济办法管理经济、
扩大管理人员的权力、
要重视专家学者 技术、组织人才　　学会管理
中坚力量、　　选用人才
　　简化手续
　　改革制度
　　（范例）

三、允许一部分先好起来
这是一个大政策
干得好的可以多拿些报酬
用的市场的观点、

六、加强责任制　搞几定
引进项目问题
试点办法。

七、新的问题。
人民要我们领导，
了解群众的要求
（国际新的形势）

释　文

批示

在孙志远关于南充设市建议上的批示

（一九五〇年三月十五日）

应连同泸州、自贡、内江、宜宾、雅安、贵阳、万县等城设市，一次向政务院请求批准。

邓

三.十五

对西南军政委员会交通部关于公路局应继续设立专用电台的请示报告的批示

（一九五〇年五月三十一日）

可照准，但须严格审查电台人员，防为特务分子利用。

邓

五.卅一

在西南军政委员会工业部关于大渡口工区工人代表会议总结上的批示

（一九五〇年七月二十三日）

大渡口工区的经验，再一次证明召开代表会议的意义，而我们某些同志往往对此是缺乏明确观念的。这个文件应转发所有城市及工矿区党委参考。

邓

七月廿三日

在《最高人民检察署西南分署一处清理反革命案专题报告》上的批示

（一九五一年五月十三日）

报告太多太长，并非好事！

退检署。

邓

五月十三日

对西南公教人员工资标准的批示

（一九五一年六月十四日）

我以下面理由改订为才65德25资10的比例：（一）以才为主才能奖历〔励〕前进，做好事情。但（二）德是发展才能做好事情的基础，故加五。（三）资百分之十够了，特别在旧人员中，有资格的人往往是最没有用的人。特别在新区，将德提高一点是必要的。

邓

六月十四日

余均同意。此事须报告一下中财委。

在西南军政委员会工业部关于建筑业统一管理的建议上的批示

（一九五一年八月十八日）

岱峰：

请与有关部分研究一下。混乱应求迅速结束，具体办法必须取得有关单位一致，才行得通。

邓
八.十八

对重庆市委关于五反中问题请示的批示

（一九五二年四月十二日）

复市委：

原则上同意，但请他们考虑打击面可否再缩小一点。

邓
四.十二

在外交部建议志愿军后勤机关协助采购所需物资报告上的批示

（一九五二年九月三日）

同意所提意见，可即商军委有关机关，拟出具体办法，经批准后通知实行。

邓
九月三日

在罗瑞卿关于中央人防机构编制请示上的批示

（一九五三年十一月十九日）

此件请陈，薄，子文传阅，退罗。

（一）请陈薄考虑在基本建设中列入防空费的问题。

（二）中央人民防空委员会所需技术干部请子文同志设法抽调，此事请瑞卿同志与子文直接洽办。

（三）廿人至廿五人的编制，同意。

（四）专家暂不多聘。

邓小平
十一月十九日

对归国侨民党籍问题的批示

（一九五六年八月五日）

凡属无辜被捕的都应恢复党籍。以前处理的，也应按此原则重作处理。

周、朱、陈核阅后退组织部。

邓
八.五

在李秋诚、金龙根要求用国产击剑器材参加亚运会比赛来信摘报上的批示

（一九七四年三月三日）

王猛同志：

我认为李金两同志的意见是正确的，应予重视，请国家体委研究处理。

邓小平
三月三日

关于公安部清理一批蒋帮人员情况给毛泽东的报告

（一九七五年九月七日）

主席：

公安部关于清理一批蒋帮人员的报告，政治局讨论过，现将修改了的请示报告送上，请审核批示，所附名单可以不看。

退 邓小平
九月七日

在《胡絜青请求尽快给老舍作出结论》来信摘报上的批示

（一九七七年八月十三日）

对老舍这样有影响有代表性的人，应当珍视。由统战部或北京市委作出结论均可，不可拖延，建议请吴德同志处理。

邓小平
八月十三日

在王若飞之子毛毛来信上的批示

（一九七七年九月）

据我所知王若飞同志在晋绥被捕和出狱问题，肯定是没有问题的。

在刘西尧关于教育工作报告上的批示

（一九七七年九月六日）

国锋、剑英、先念、东兴同志：

我约刘西尧、方毅等同志谈了一下。等他们写好教育问题汇报提纲后，拟提请政治局讨论一次。

招生问题很复什，据调查，现在北京最好中学的高中毕业生，只有过去初中一年级的水平(特别是数学)。所以至少百分之八十的大学生，须在社会上招考，才能保证质量。如何才能避免大的波动，办法正在研究，方案拟定后，拟先送请批准。此件连同中小学教学计划草案，送请你们看看，供作考虑之用。

退

邓小平
九月六日

在一份反映对外口岸接待工作问题的内部材料上的批示

（一九七七年九月二十九日）

先念、登奎同志：

这样事情需要国务院具体抓一下，绝非深圳一处问题，所有口岸都要管好，设置专业职工，严格规章和奖惩制度，如何？

邓小平
九月廿九日

在王一知来信上的批示

（一九七七年十月二十七日）

东兴同志：

王一知是个老同志，她想到党校工作，请考虑一下。她想到广州一次，似可同意，如你也同意，请由中办或中组部答复她。

邓小平
十月廿七日

在杨天池关于四川维尼纶厂工程建设延期问题来信摘要上的批示

（一九七七年十月三十一日）

先念、秋里、谷牧同志：

这样的事，计委、建委和主管的部要亲自过问，单靠省是不行的，如何，请考虑。

邓小平
十月卅一日

在张明关于吴皓结论的来信摘要上的批示

（一九七七年十二月六日）

请中组部对这类事要关心，实事求是地对每件事作出恰如其分的结论，这不只是对本人，对家属亲友都是关系很大的，拖不是办法。

邓小平
十二月六日

在王其梅妻子王先梅来信上的批示

（一九七七年十二月二十五日）

请东兴同志批交组织部处理。

王其梅从抗日战争起，作了不少好事。他的历史问题不应影响子女和家属。建议组织部拿这件做个样子，体现毛主席多次指示过的党的政策。

邓小平
十二月廿五日

在教育部《关于请调教材编辑出版干部的报告》上的批示

（一九七八年二月十日）

编好教材是提高教学的关键，要有足够的合格人力加以保障。所提要求，拟同意。

邓小平
二月十日

在教育部关于《一些外国留学生要求与中国学生加强接触》人民来信摘报上的批示

（一九七八年五月九日）

此事应予重视，由教育部调查提出方案（不是一校问题）。

邓小平
五月九日

在孙志远关于恢复人民大学几点建议上的批示

（一九七八年五月十五日）

这个意见好，先念同志阅后交教育部考虑。

邓小平
五月十五日

在一份反映人才问题的内部材料上的批示

（一九七八年八月十日）

请教育部过问一下(选拔和培养人才极为重要)。

邓小平
八月十日

在中华全国总工会《关于请中央审批工会法修改草案报告》上的批示

（一九七八年九月三十日）

根据毛主席的教导，在章程、法律这类性质的文件，以不写个人为宜，故在第三条作了一点修改，请审议。

邓小平
九.卅

在一份反映起义人员政策落实问题的内部材料上的批示

（一九七九年五月八日）

请林乎加同志过问一下这件事。落实政策，困难重重，此一事例。

邓小平
五月八日

在国家科委《关于进一步开发和建设攀枝花的几个问题》上的批示

（一九八一年四月二十七日）

我看这些意见都很重要，问题是，每一项都应认真落实，力避拖延。

邓小平
四月廿七日

在《解放日报情况简报》第50期上的批示

（一九八二年三月二十四日）

请中纪委抓紧处理，以此为例，作一大案处理。处理要坚决，所有牵涉的人，包括省委书记在内，应即停职，听候审查(审查结果，如无责任，当然复职)。

邓小平
三.廿四

在林业部党组关于飞播造林情况和设想报告上的批示

（一九八二年七月十四日）

依林同志：

每年四千万元，为数不大，完全纳入国家计划，地方做好规划和地面工作，保证质量。这个方针，坚持二十年，可能得到较大实效。如何，请考虑。

邓小平
七.十四

在《中国人民政治协商会议章程修改草案》上的批示

（一九八二年十一月三日）

退澜涛同志。

我看了总纲和工作准则，都同意。

邓小平
十一.三

在林业部关于开展全民义务植树的报告上的批示

（一九八二年十二月二十六日）

这个报告令人高兴。这件事，要坚持廿年，一年比一年好，一年比一年扎实。为了保证实效，应有切实可行的检查和奖惩制度。别的意见没有了。

邓小平
十二.廿六

在胡乔木送审《关于人道主义和异化问题讲话稿》信上的批示

（一九八四年一月十一日）

乔木同志：

这篇文章写得好，可在人民日报发表或转载。由教育部规定大专学生必读。文艺、理论界可组织自由参加性质的座谈，允许辩论，不打棍子。

邓小平
一月十一日

对外交部《关于同英国外交大臣就香港问题会谈方案的请示》的批注

（一九八四年四月）

在港驻军一条必须坚持，不能让步。

邓　注

在广西党史征集委来信上的批语

（一九八四年八月二十九日）

一、我是中央的代表，任务是做上层统战工作和领导广西全盘工作，七月到南宁。

二、我在广西时，广西特委(不是省委)，没有设立军委。

三、一九二九年底，中央电令我回上海报告工作，途经香港驻了两三天，那个报告，谈了左江的发动，从内容看，可以确定是我作的。

邓小平
八月廿九日

在《高科技研究发展计划(863计划）纲要》等三个文件送审报告上的批示

（一九八六年十月六日）

我建议，可以这样定下来，并立即组织实施。(如有缺点或不足，在实施中可以修改和补充)

耀邦、先念、陈云同志审核后，提政治局讨论、批准。

邓小平
十月六日

在李政道关于即将成立“先进科技中心”的来信上的批语

（一九八六年十月八日）

请李先生转达对安德雷奥蒂先生的好意表示感谢，对安先生所作的努力表示赞赏。

邓小平
一九八六年十月八日

在海南省委《关于设立洋浦经济开发区的汇报》上的批示

（一九八九年四月二十八日）

我最近了解情况后，认为海南省委的决策是正确的，机会难得，不宜拖延。但须向党外不同意者谈清楚，手续要迅速周全。

邓小平
四月廿八日

提纲

在重庆庆祝建党二十九周年纪念大会上的讲话

（一九五〇年七月一日）

邓小平同志在重庆庆祝中共廿九周年纪念大会上的讲话

同志们！

西南解放半年了，在这半年中，我们廿万党员、六十万人民解放军指战员和所有革命干部，同人民在一块，进行了艰苦的斗争和紧张的工作。在短短的时间内，无论在剿匪方面，财政经济工作方面，文化教育工作方面，统一战线工作方面，群众工作方面，无论在城市和乡村，都获得了显著的成绩。我们绝大多数同志都是奋不顾身、日以继夜的工作，他们一心一意地为着党的事业和人民的事业，不避艰险，任劳任怨，并且有几千个共产党员和革命战士作了光荣的牺牲；他们诚心诚意地为人民办好事而不计较个人的享受；他们在工作中难免发生错误，但是他们善于接受别人的批评和运用自我批评的武器，勇敢的改正错误；他们对于中央和上级的指示采取精心学习的态度，以便于正确地运用到实际工作中去；他们无愧于人民。斯大林说过：共产党员是用特种材料构成的新型的人物，我们绝大多数共产党员是符合于这种新型人物的称号的，没有他们，党的任何正确领导都会归于无用，任何工作计划都会变成一纸具文，人民翻身就会成为不可能的事情。因此，在庆祝党的廿九周年纪念的时候，应该向他们祝贺，应该感谢他们的努力！

但是，同志们！我们党内也有另外一种党员，他们入党的动机是不纯的，他们加入党，不是来革命，不是来为人民服务，而是因为共产党已经成为领导国家政权的党，想利用共产党员的地位，来达到他们贪污腐化、升官发财、营私舞弊，甚至保护封建势力压迫人民破坏革命的目的，这种人在我们党内，虽然不多，可是他们的行为对于我们的革命事业有不少的损害，我们应该有所警惕。对于那些由于胜利冲昏头脑，而致迷失方向，产生蜕化思想的同志，应该热忱的帮助他们改正错误，把他们从泥沼中挽救出来，但对于那些暗藏在党内的阶级敌对分子，对于那些屡经教育不知改悔的贪污腐化分子，就必须在精细审查之后清洗出去，以保持党的纯洁性。

除了这些少数的品质恶劣的分子之外，我们绝大多数同志都是好的。但是，正如毛主席所说的，我们都是一些有缺点的布尔什维克，人人都有缺点，只有大小不同，而在当前带有普遍性的缺点，就是官僚主义、命令主义和在统一战线中的关门主义。我们领导机关和领导干部的官僚主义，即使是辛辛苦苦的官僚主义，正因为它是脱离群众和脱离实际的，就必然要使我们的事业受到损失，并使下面工作同志遇到难以想象的困难。我们许多同志所犯的命令主义错误，有的是产生于执行繁重任务的急燥性；有的是不懂得进行工作的方法；有的是由于反动分子的破坏和地主恶霸的抵赖所刺激；有的是历来工作作风就有毛病，只相信自己的狭隘经验，不学习党的政策和政府法令，只相信个人的本事，不相信群众的力量；有的甚至还保有封建思想的遗毒；也有个别的人品质不好，好以胜利者统治者自居，喜欢坐在人民头上拉屎。不管来源如何，其结果总是一样的，就是必然大大地脱离了群众，损害了党的信誉，违反了党的政策和人民政府的法令，完成不了工作任务。我们有些同志的关门主义倾向，是不懂得统一战线是决定中国革命胜败的基本环节之一，他们不懂得唯有团结四个朋友才能战胜三个敌人、才能建设新中国的道理；他们不懂得中国这样大一个国家，这样多的事情，不是四百多万共产党员单独包办得了的；他们往往把党了解成为一个狭小的宗派团体，而不是一个领导中国革命的群众性的政党；他们往往夸大党外人士的缺点，不善于或不愿意与党外人士共事，不善于在工作中以自己的模范作用去影响党外人士进步；而对于自己的狭隘作风和违反党的统一战线这样重大的原则性的错误，却漠然无知或采取自我原谅的态度；他们往往在工作中把自己孤立起来而尚以为自己总是对的、人家总是不对的；他们对于人民政协共同纲领和中央人民政府的政策法令往往不及党外人士熟习，学习精神往往不及党外人士好，可是还要骄傲自满有时甚至不讲道理。所有这些都必然要损害人民的团结，损害我们共同的事业，损害党的领导作用和党的政治影响。

我们的官僚主义、命令主义和关门主义，如果不加以克服，将不但脱离群众，损害革命工作，完成不了任务，而且会给敌人以可乘之机。我们的敌人并不愚蠢，国民党匪特在人民中早已威信扫地，他们唯一的希望，就是寄托于我们共产党员多犯一些错误，以便于他们抓住这些错误，鼓动一部分落后群众反对我们，并破坏中国人民大团结的统一战线，阻碍人民事业的前进。西南的封建势力也利用我们这些弱点，大喊大叫起来，企图用以抵制人民政府的法令，更多更久地保持他们的封建特权和在乡村中的统治基础。他们对于我们有这些错误是很欢迎很高兴的。但在另一方面，我们的朋友却为我们同志的这些毛病而感到忧虑，他们提出了许多有益的批评和建议，我们应该感谢他们的友谊的帮助，我们应该勇敢地纠正自己的缺点，我们正在进行的全党整风运动，就是为着这个目的，而且一定能够达到这个目的。

同志们，我们是有缺点的布尔什维克，可是我们之所以既有缺点而又能称为布尔什维克，其道理就在于我们敢于正视自己的缺点，并有决心去改正自己的缺点。

同志们，西南匪特还未肃清，封建势力原封未动，人民生活还未改善，各种困难还多，我们面前的斗争是艰苦而复杂的，我们绝不能松懈我们的斗志。我们要紧紧地掌握着批评和自我批评的武器，发扬优点，改正缺点。我们要紧紧地团结工人阶级、农民阶级、小资产阶级、民族资产阶级和其他爱国分子，紧紧地团结群众和依靠群众，共同努力克服困难，稳步的建设新西南！

同志们！努力学习马恩列斯的学说，努力学习毛泽东思想，在马列主义和毛泽东思想灿烂光辉的照耀下，引导群众胜利的前进！

在城市工作会议上的报告提纲（节录）*

（一九五〇年十二月二十一日）

在城市工作会议上的报告提纲

（一九五〇年十二月二十一日）

（三）工厂管理问题。

关于国营厂矿管理诸问题，段君毅同志的报告都说到了。

我们很早以前就提出了“依靠工人，团结职员，搞好生产”的口号，这是管好工厂的关键。我们不少的军事代表工作组乃至工会干部，至今还不懂得这个口号，他们不去启发工人和职员的积极性，甚至对工人职员采取不信任的态度。有些同志还喜欢对于自己不懂的技术问题或管理问题，使用“最后决定权”。官僚主义命令主义经过整风之后虽然好了一些，但至今仍然是干部中的最大的毛病。不继续反对官僚主义和命令主义，我们就不可能做到依靠工人团结职员去搞好生产。

经验证明：不依靠工人，就不可能团结职员；一般职员总是在工人起来之后，才逐渐向我靠拢的。而且要工人在生产方面有了一些成绩的时候，才会开始心悦诚服地积极起来。

中央指示我们：要管好厂矿，必须实行“管理民主化”和“经营企业化”。所谓管理民主化，必须具体体现在“依靠工人团结职员”之中，尤其是具体体现到工会、工管会、职工代表会这三种组织形式中。

否则就谈不上什么民主化，就没有民主的内容。现在许多工管会是形式的，工会或者不起作用，或者被工人称为“军事代表的尾巴”。职工代表会一般只在困难时开，很少环绕到生产任务和职工福利这些问题去开，尤其很少定期召开。既使开了这些会议的，也多半是由军事代表等训话一番。这种情况必须纠正。

所谓经营企业化，也只有在管理民主化的基础上才有可能。工业部确定从合理化建议及订立集体合同两件事情做起是正确的，经过了这些步骤，启发了群众的智慧和积极性，才有可能计算成本。当着一个工厂连成本都无法计算的时候，就谈不上上了轨道，也谈不上经营企业化。

组织生产竞赛是必要的，但必须在具备了有生产计划，有原料，有销路，群众有了一些发动这些条件的部门才去实行。在西南情况来说，条件多不具备，故暂时尚不宜普遍地实行。

为了管好现有的厂矿，还必须：第一，尽可能地从机关中节约一些得力干部放在厂矿中去；第二，领导上注意选择几点，典型试验，积累经验，指导其他。西南较重要的公私厂矿只有一九二个，用这个方法一定可以做出成绩来；第三，在地委、县委集中于农村斗争，而且能力不够的情况下，较重要的厂矿不能委托他们去管理，而应由省委、区党委、市委直接管理。因此，各省区市党委应设工业部或指定一负责同志专管工业。同时在厂矿区设立企业党委及工会办事处(如綦江江津区)，有三个干部就够了，有了专人负责，事情就办通了。

除了国营企业外，各省区市对于地方工业的指导必须加强。目前由于国家财力的限制，办很多大工厂不可能，但小型工业的发展是可能的，我们对此应采取积极的态度。各地可根据本区(一定从本区内着眼)的条件(原料销路等)，或由地方款中，或组织私人资本，或组织机关生产，举办一些可办的小型工业，好好的经营这些事业。至于原有的某些小厂，既无原料，又无销路，则应转变生产方针或考虑停业。

我们有些厂，现在还是维持状态，必须想办法打开出路，将生产力用之于有用的方向。

对于私营企业，过去的方针是正确的，仍应在依靠工人团结职员搞好生产的基础上，用劳资协商方式，推动其进一步的改革。

(四)工会工作。

蔡树藩同志的报告都说到了。

西南工人，包括一部分手工业工人在内，据估计有一百六十万。现在组织到工会中的约卅万，仅占百分之十九到廿。各产业系统较好，约组织了工人百分之六十五到七十。可是起作用的，真正联系工人群众的工会组织是不多的。

在工会组织中，存在着严重的关门主义和形式主义。关门主义的根源是不相信工人。形式主义则表现在工会生活不民主，不面向生产，不重视工人的福利，因而得不到工人的信仰。当然也有一些好的，但为数很少。

当前工会的工作：第一，必须进一步的组织工人到工会中来。首先应集中力量在工厂、矿山、交通、市政和店员中去发展工会会员。

第二，必须坚决的吸引本地本厂的工人积极分子到工会各级领导机关中来，以加强工会与工人群众的连系，改变工会脱离群众的现状。有些工会领导机关，职员比重过大的情况，也应改正。

第三，建立工会的民主生活，克服官僚主义。工会一经初步整理，就应开代表大会或会员大会，选举工会领导机关。工会必须充分听取工人的意见和建议，并作认真而妥善的处理。

第四，必须加强工人中的文化教育工作。就长远来说，工人教育应以文化技术为主；就目前情况说，仍应着重政治教育，同时注意文化技术教育。

第五，必须重视工人的劳保和福利。今后仍应防止过高的要求，但更重要的是纠正一些同志忽视工人福利的思想。同时要纠正福利工作中的恩赐(即不经过工会和工人的讨论)观点。

(五)城市建党问题。

现在各地的普遍倾向，是忽略了城市的建党工作，把谨慎发展党的组织，变成了不注意发展党的组织。

城市发展党员主要在工人中，而我们党内，有不少人是看不起工人的(这与他们出身于农民小资产阶级有关)。重庆前一时期请求入党的工人百余，经过两三个月的审查，只批准了六个，以后由市委组织部直接进行，才发展了一部分工人党员。

于江震同志报告中提出的计划是恰当的，在今后半年内，在重要厂矿卅万工人中，吸收百分之七，即约两万工人入党是必要的，也是可能的。除厂矿外，在学校机关及其他系统中，也应作个别的吸收，条件则应更严格些。

西南一律实行公开建党的方针，凡未公开的党的组织应即公开。建党的步骤是先慢后快，慎重的个别吸收，既要反对关门倾向，又要反对拉夫主义。一开始就要把根子扎正，就要严肃党的组织和生活。

必须重视发展团的组织。现在要纠正的偏向也是关门主义。

(六)关于资产阶级。

中国资产阶级的特点。

我们对待资产阶级的态度是又团结又斗争，斗争是为了达到团结的目的。在现阶段必须“争取尽可能多的能够和我们合作的自由资产阶级及其代表人物站在我们方面，或者使他们保守中立，以便和帝国主义者、国民党、官僚资产阶级作坚决的斗争，一步一步地去战胜这些敌人”。无论在政治上经济上，一脚踢开资产阶级的思想是错误的、危险的。在西南解放初期，确有此种“左”的倾向，但在五月开始调整工商业后，又产生了一种不敢对资产阶级作必要的斗争的右的倾向。

我们与资产阶级的关系，主要在税收、劳资和公私等三方面，同时农村减租退押分土地也关连着他们。一般资产阶级对劳资总是讲一利，对公私也不讲兼顾的，对税收总是叫重的。而我们则必须认真地实行“两利”、“兼顾”政策；税不应多收，但也不能少收的政策。

在四五月间，私营企业确实困难，我们实行了坚决调整的方针；如果那时不那样做，就会形成大批的关厂停业，于工人阶级，于国计民生都极不利，所以这个方针(中央确定的方针)是正确的。认为这个方针错误的意见是不正确的。

今后仍应继续这个方针，即在税收方面，坚持不多收也不少收的政策。凡属不合理者，应主动调整；凡属合理者，必须坚决征收，与逃陋〔漏〕现象做斗争，以保证税收任务的完成。在公私问题上，坚持兼顾的政策，必须在加工订货，市场价格等方面，促使资方进一步的改革其腐朽的机构。同时在西南还应适当加强国营工商业，以增强国营经济的领导力量。在劳资问题上，过去我们说服工人适当减低工资，以渡过难关，这是完全必要的；七月以后，工商情况开始好转，即不应再事降低工人生活，而应从改革腐朽机构，努力生产中去达到工厂的收支平衡。在资方尚无利可图的厂矿，仍应说服工人不作过高的要求；但在资方有利可图的厂矿，就应该适当的恢复一些工资或一些福利。

除在各方面掌握住正确的政策之外，我们必须多向资产阶级做些工作。经验证明：多做一分工作就有一分效果，不愿去接触资产阶级及其代表人物的毛病，应加纠正。工商联合会的工作应该加强。

对工商界的退押，应作审慎的考虑，一般可采取在半年以下的时间内分期退还的原则。

＊这个报告提纲已收入《邓小平文选》第一卷，并对文字、标点作了少量订正，题为《在西南局城市工作会议上的报告提纲》。

在西南局委员会第七次会议上的报告要点(节录)

(一九五一年十一月十日)

报告要点

(一)一九五二年的工作。

一九五二年的工作任务，仍是极其繁重的。

朝鲜战争还没有停止，必须“增加生产、励〔厉〕行节约以支持中国人民志愿军”。财政情况向我们提出了从精简节约中来保证物价稳定的责任。

一九五三年即将开始国家的计划建设经济，我们要同全国各地一道，完成各项准备工作。

因此，明年必须完成下列工作任务。

(甲)四川、西康全部在明年四月以前，贵州、云南在年底以前，完成土改任务。

(乙)军队在明年三月以前完成精简任务。

(丙)在明年内完成一百人以上的公私工矿企业，和码头、搬运、建筑、木船及其他重要行业的民主改革。

(丁)抽调干部到大中学校，准备后年(一九五三)完成教育改革。青年团则应加强小学教师联合会的组织与工作。

(戊)继续镇压反革命，在明年六月以前完成“清理中层”的工作。

(己)在六月以前完成整党，并结合整党进行一次整风。在明年内发展党员十五万(其内发展工人党员一万五千)，发展团员卅万。

(庚)其他如统战等项工作，仍按今年所订方针进行。

(二)精简节约，严禁浪费。

这是保障朝战胜利的方针。

这是积累资本，加速国家工业化的方针。

这是树立国家和人民的良好风气的方针。

这是当前稳定物价的可靠保证。

而现在浪费(也有严重的贪污)现象则是全面的，极其严重的。

实行这个方针的办法是:

(甲)节约兵力，减少开支。

(乙)精简机关，减少人员。

(丙)缩紧开支，清查资财。

(丁)提倡节约，严禁浪费。

(戊)组训民兵，准备征兵。

各级党委必须认真的领导这个运动，每个部门和单位都要订出计划，实行检查，贯彻执行。

(三)土改及土改后的农村工作。

土改按原订计划执行，即在明年春耕前四川、西康全部，贵州大部、云南五十五个县(占人口半数以上)完成，其余在年底以前完成。

完成土改必须包括分山完毕。

土地证以在查田之后颁发为宜。

土改完成之后，应无例外地实行一次查田运动，查田运动的内容包括下列各项，即:(1)处理遗留问题，进一步地发动群众，对于大约百分之廿工作不好的乡村实行补课；(2)评好产量，打下农业税的巩固基础，并刺激农民积极增产；(3)颁发土改〔地〕证。查田工作不宜拖得太长，一个乡以不超过廿天为宜。

在西南一级党员干部大会上的报告提纲（节录）

（一九五二年六月二十日）

在“三反”和“五反”的胜利基础上前进一步

三反五反历时五月，三反五反是同时进行而又互相配合的。卷入三反的党政企业工作人员约四十五万人、进行五反的城市和重要集镇共近三百个。运动是广泛的深入的。现在已到基础〔本〕结束或接近基本结束的时候，需要总结一下，提出任务，使在胜利基础上前进一步。

（一）

在三反运动中：

清查出了大批贪污分子；

暴露出了严重的浪费现象；

揭发出了许多不可容忍的官僚主义现象。

这些事实说明了运动的必要性与正确性，从领导到群众都受到了深刻的教育。

经过三反：

浪费大大减少，

纠正了一些官僚主义现象，

挽救了大批贪污分子，

进一步地纯洁了队伍，

提拔了新的积极分子，

工作效率提高了，到处出现了新的气象。

在五反运动中：

清除了五毒，

查出了一批“派进来”“拉过去”的经济坐探，

发动与教育了工人阶级纯洁了工人队伍，

巩固了工人阶级领导，

巩固了统一战线。

更大的收获是划清了思想界限。

所有成绩的获得：

毛主席的英明号召，中央的具体领导、政策明确，

充分发动和依靠了群众，

及时的传播经验与纠正偏向。

三反五反的收获是伟大的，运动是健康的。但在几个重要问题上，有在思想上加以澄清之必要：

对资产阶级的认识问题、

继续克服官僚主义问题、

克服小资产阶级个人主义的倾向问题。

如此，才能在三反五反胜利基础上，在各方面提高一步。

结束三反两项重要工作：

（一）要案追赃。

（二）批判资级思想、划清资级与工人阶级的思想界限、改进三反运动中所发现的工作缺点、以便从思想上组织上制度上巩固三反运动的成果。

在七届四中全会上的发言要点*

（一九五四年二月六日）

发言要点

我完全同意少奇同志的报告。报告对于三中全会以来中央政治局工作的估计，是恰当的。对于“关于增强党的团结的决议”草案及对草案的解释，是明确而详尽的。

我认为在中央和毛泽东同志明确地规定了过渡时期的总路线的时候，作出这样一个增强党的团结的决议，是完全适时的和完全必要的。

这不只是因为整个过渡时期的革命内容（社会主义革命即社会主义改造）比之新民主主义革命更为深刻、更为广泛，斗争极复什极尖锐，国外帝国主义、国内已被打倒的和即将被消灭的阶级一定要千方百计的来破坏，所以需要我们党以更加坚强的团结和更高的战斗力，来保障过渡时期总路线和总任务的实现；更重要的是因为在新民主主义革命胜利之后，由于我们所有方面的工作都获得了巨大的胜利，于是在我们党内，特别是在党的高级干部中滋长着一种骄傲自满的情绪。这种骄傲情绪如果不及时提醒，那必然使我们丧失敌情观念，而麻痹大意起来，那我们就必然丧失斗志，而经不住敌人的袭击，甚而使我们的伟大事业遭到失败。

决议草案，正如报告所说，不是无的放矢。它当然是有所指的，它当然根据了具体的事实，指了具体对象的，但它主要是指的在现阶段党必须注意的一个重要问题，必须防止和克服的一个重要的倾向。不能解释这个决议只是针对个别的人，而对于我们自己的工作和自己的言行疏于检查和警戒。

决议草案对于党内骄傲的危险性说得很清楚，我就这个问题说说我的认识。

我认为骄傲的情绪在党内，主要在相当一部分高级干部中，正在滋长着，如不注意克服，它会发展到一种可怕的危险的地步。正如决议草案所说：“在中国革命胜利后，党内一部分干部滋长着一种极端危险的骄傲情绪，他们因为工作中的若干成绩就冲昏了头脑，忘记了共产党员所必须具有的谦逊态度和自我批评精神，夸大个人的作用，强调个人的威信，自以为天下第一，只能听人奉承赞扬，不能受人批评监督，对批评者实行压制和报复，甚至把自己所领导的地区和部门有意地或无意地看作个人的资本和独立王国。”

骄傲一定会使党的团结受到损害，革命事业受到损害，而对个人来说，它是一种腐蚀剂，它可以引导到个人主义的发展，把一个满腔热忱勤勤恳恳为人民服务的共产党员的高贵品质堕落到资产阶级的卑鄙的个人主义方面去。

骄傲会对一个人自己在革命中的作用和贡献产生不正确的估价。总觉得自己了不起，（事实上，我们自己没有什么了不起，我们只不过是一个小螺丝钉。我们出名，是无数同志努力的结果，不能看作是一个人的。我就觉得自己的能力有限的，在受表扬时尤应警惕及此，常常犯错误，靠中央及同志们帮助。）总觉得党和别人对他重视不够，没有温暖，反而觉得那种会拉拉扯扯吹吹拍拍的人对他很好，很有温暖。

骄傲会把自己所领导的工作或地区，摆在一种不恰当的错误的地位。在中央与地方关系上，在中央各部门工作时，往往会忽视地方的实际情况和地方工作同志的意见，自以为是，甚而乱拿帽子向下戴；在地方工作时，往往会对全局照顾不够，对中央各部门的情况照顾不够，自以为是，总以为理在地方，甚而觉得头上戴着帽子很不舒服，不愿受检查，不愿受批评。事实上工作上的错误不可免的，说没有错误那才不合事实。在部门与部门之间，地区与地区之间，往往只看到自己工作做得好，不大看见别人别地区的工作也做得好，特别遇到表扬多一点的时候，往往有点飘飘然；在对待与其他部门、其他地区的关系上，往往多注意到自己方面的困难，忽视对方的困难，不大注意照顾别人，甚至一点亏也不能吃。对同志之间，往往看自己的长处多、短处少；而看别人的短处多、长处少，往往对于一些非原则的甚至是一些技术性质的问题，也斤斤较量，各不相下，不善于让步，不善于等待。

骄傲，特别是高级干部的骄傲，是不能不使党的团结和党的工作受到损害的。在革命胜利后，有些现象是很不健康的，毛主席所规定的在多年来行之有效的革命赖以胜利的那些党的原则，(例如：对错误和缺点采取严肃的态度，发展批评和自我批评；从团结出发，经过批评和斗争达到团结的目的；与人为善的态度和治病救人的方针；照顾别人别部门别地区；照顾少数……）常常被我们忽视了，很少有人提起了。而在另一方面，与这些原则相违背的现象，反而在滋长着，我们常常闻到另外一些味道，例如：把某些个人或把自己夸大到与实际情况极不相称的地步；不愿受检查受批评，批评和自我批评的空气稀薄；不注意团结；对犯错误的同志不是采取治病救人的态度；自以为是，不大听别人意见，不大照顾别人……等等，尤其严重的，是一些同志对于维护中央威信的忽视，甚至有些对于中央领导同志的批评，有时是超越到党的组织所不能允许的程度，(在一定场合是允许对中央及领导同志进行批评的，有意见不说也是不正确的）我们也常常风闻到某些同志对中央几个主要领导同志的一些不正确的言论，而在财经会议以来，特别是对少奇同志的言论更多。我认为少奇同志在这次会议上的自我批评是实事求是的，是恰当的，而有些传说，则已不像什么批评和自我批评，而像一些流言蜚语了。(例如对资产阶级问题，党的性质问题，富农问题等等）我们能把维护中央威信与维护中央几位主要领导同志的威信分开吗？而对于一些主要领导同志的超过组织的批评，竟未引起我们的反对和制止，难道这与我们自己的思想情况与自己的骄气无关吗？难道不应当引起我们自己的警惕吗？

以上是就一般性质的骄傲而言，如果我们沾染了骄气，我们就不能前进，我们就不会兢兢业业的工作，在工作中就不可避免地要犯严重的错误，而如果不加改正，任其发展下去，我们就经不起敌对阶级和敌对思想的任何的袭击。

当然，骄傲还可以发展到另外的结果，如同少奇同志报告中所说的："只要党内出现了个人主义的骄傲的人们，只要这种人的个人主义情绪不受到党的坚决的制止，他们就会一步一步地在党内计较地位，争权夺利，拉拉扯扯，发展小集团的活动，直至走上帮助敌人来破坏党分裂党的罪恶道路。"难道不应引起我们的警惕吗？

我认为四中全会，全会的决议，对于某些犯有严重错误的同志是很重要的，并且给了这种同志以改正错误的机会，是对这种同志的最直接的帮助，这点是无疑的；但是，我认为全会的决议是对过渡时期总路线和总任务的最有力的保障，是对全党同志主要是对我们所有高级干部自己(我自己就是这样感觉的，仔细检查起来，工作中错误缺点是不少的，马列主义水平是不高的，到中央工作是力不胜任的。分散主义的错误是有份的，处事对人是有毛病的。决议对于我们这样的人，多受表扬的人，特别重要。)的最大的帮助，它是一付消毒剂，它启发我们每一个人的阶级觉悟，它使我们提高警惕性，它使我们党的团结更加巩固，党的战斗力更加提高。

毛主席告诉我们说：七大以后由于党在思想上政治上组织上高度统一而形成的党的坚强的团结，使全党信心百倍，士气旺盛，因而取得了中国新民主主义革命的胜利。

毛主席告诉我们说：去年财经会议的主要成绩是使全党高级干部明确了党在过渡时期的总路线。无疑地，四中全会的决议，将保障党的更加团结和一致，将使我们有更高的信心和更旺盛的士气，去完成社会主义革命阶段的伟大的历史任务。

*邓小平在中共七届四中全会上的发言，已收入《邓小平文选》第一卷，题为《骄傲自满是团结的大敌》，是根据发言记录稿刊印的。

关于经济工作等问题的说明要点（节录）

（一九五九年四月四日）

两个问题的说明（要点）

（一）关于经济工作；

（二）关于国家机构的人事配备。

关于经济工作

这次上海会议对于去年十二月武昌会议确定的1959年计划指标，有一些修改。主要是：

1.钢，武昌会议定为2000万吨，对外公布为1800万吨，现在确定为1800万吨。

2.煤，武昌会议定为四亿吨，对外公布为3.8亿吨，现在确定为3.8亿吨。

3.根据钢煤数字的变动，相应地变动了一些其他主要工业产品的指标，其中主要的有：生铁由2700万吨降为2400万吨；钢材由1400万吨降为1150万吨；发电量由495亿度降为410—420亿度；发电设备由 600万瓩降为 350万瓩；金属切削机床由不包括简易机床的9万台降为7万台。其他项目有的没有变动，有的变动很小，有的还有增加。

4.基本建设项目由　个缩减为　个；基本建设投资由360亿元减为　亿元。

5.粮食、棉花，武昌会议已经公布的数字不变（粮食10500亿斤，棉花一亿担）。但是考虑到农业还受着一些客观条件(如气候，工具改良不多，化肥仍然很少，等等）的限制，为了打一点保险系数起见，粮棉以外的其他一些农产品产量指标，都有一些降低(如大豆由420亿斤降为　亿斤；烤烟由1935万担降为　万担；花生由22，635万担降为　万担)。这样，即使由于天候或其他原因，粮棉或其他项目不能完全达到原来的计划，但从农业总产值来说，可以相当，或者相差不会很多。

为什么要作这样一些变动呢？这是因为经过了第一季度的实践，看来我们原来规定的某些生产指标大了一点，基建项目多了一点，而原材料生产的发展是有限度的，不可能保证这样大的生产指标和基建规模，如果不实事求是地加以变动，势必在原材料和设备不能如量、如质、如期保证的情况下，使本来不多的原材料更加分散使用，结果引起连锁反应，各方面都完成得不好，重点不能得到保证，一般也不能不受影响。例如生铁不减少三百万吨，则与此相适应的采矿、冶炼、焦煤等等生产和基建项目都不能削减。例如基建项目越多，重点项目就越不能保障。现在看得很明白，如果不根据客观的可能来制定计划，就难免在执行的过程中作一些不适当的安排，造成一些人为的困难，其结果不是搞得更多，很可能是搞得更少。必须充分发挥人的能动性，但它是受客观实际可能限制的。如果我们不比较充分地认识客观的可能，制定一个积极可靠的计划，并且充分发挥人的能动性去完成和超额完成这个计划，那我们就会象一九五七年那样，犯保守主义的错误。我们都想多搞一点，这是可以理解的，这种热情是可宝贵的，但是，如果我们过分夸大人的能动性，制定一个人们难于实现的计划，那我们也会犯主观主义的错误，同样不利于事业的发展。

在中共中央扩大的工作会议上的讲话提纲(节录)

（一九六二年一月二十日）

我们在国际上要高举反帝、革命、无产阶级国际主义的旗帜。高举世界和平的旗帜。

要能担负起责任，

决定于把国内工作搞好。
搞好国内建设和工作，
决定于党的领导。
我党有五好——
有好的领导思想，以毛泽东思〈想〉为代表的指导思想。马列主义普遍真理与中国具体实践相结合的思想。
有好的中央，以毛泽东同志为首的党中央，从廿几年的历史证明是好的中央。
不是也有缺点错误吗？
中央好，正是它按照马列主义的原则，及时发扬成绩，修正错误，合乎一个郑重的党的标志。
(赫鲁晓夫不能自我批评)
有大批好的骨干，
包括大批新的积极分子。
县以上主要骨干，大多数是经过长期革命斗争锻炼的，又有十二年的经验。
有好的传统
好作风——理论与实际，联系群众，批评自我批评，——实事求是的作风。
有理想，有志气，不怕鬼(包括这几年有些事情没搞好而丧失信心的鬼)
有一套健全的党的生活制度。
民主集中制。
团结、批评、团结。
惩前毖后，治病救人，不搞过火斗争，“无情打击”。
艰苦朴素。
所以党是团结的，统一的，有战斗力的。
有好的人民，人民对党有最大的信赖，人民是战略家。
近几年，我们一些同志滥用党的威信。
纠正后，群众说“共产党又回来了。”

在中共中央工作会议闭幕会上的讲话提纲

（一九七八年十二月）

对会议评价：
一、解放思想　开动机器
理论的重要
实践是检点真理的标准——争论的必要。
实事求是　理论和实际相结合　一切从实际出发全党全民动脑筋。
二、发扬民主、加强法制。
民主集中制的中心是民主，特别是近一时期。
民主选举、民主管理（监督）
政治与经济的统一，目前一时期主要反对空头政治。
权力下放。
千方百计

自主权与国家计划的矛盾　主要从价值法则　供求关系（产品　质量）来调节。

三、向后看是为的向前看。

不要一刀切

解决遗留问题要快，要干净利落，时间不宜长

一部分照正常生活处理。

不可能都满意

要告诉党内外，迟了不利。

毛主席　安定团结十分重要。

变革　要大局为重。

犯错误的，给机会：总结经验　改了就好

四、克服官僚主义，人浮于事。

一批企业做出示范。

几多

多了人怎么办

用经济方法管理经济

扩大管理人员的权力。

党委要善于领导　机构要很小　是什么

学会管理　选用人才　简化手续　改革制度（规章）

五、允许一部分先好起来

这一个大政策

干得好的要有物质鼓历〔励〕。

国内市场的重要。

六、加强责任制　　搞产量

从引进项目开始。

请点专家。

七、新的问题。

人员考核的标准。

多出人员的安置

（开辟新的行业）